資本主義の崩壊と再生

Collapse and Resurrection of Capitalism

渡辺通弘

Michihiro Watanabe

まえがき

本書は、哲学三部作、『永遠志向』（創世記、一九八二）、『死の超越』（丸善プラネット、二〇一七）とその英語版である"Transcending Death"（Kindle、二〇一八）、そして『創造経済と究極の幸せ』（悠光堂、二〇一九）をベースとして書かれたものである。

最初の『永遠志向』は、二十年の思索を経て書き上げた私の思想の出発点である。そこでは、すべての生き物は生きるという本能（私はそれを「生存志向」と呼ぶ）を持ち、まだ群棲の動物はそれに加え、仲間内で高い地位を占めたいという権力欲（私はそれを「優位志向」と呼ぶ）を持つ。しかし人間の場合、その高い知能のためいつか自分が死ぬ運命にあることを知ってしまい、「生存志向」と死すべき運命のはざまで苦悩する。その結果、死を超越したいという人間だけが持つ人為的な本能である「永遠志向」を生み出す。この永遠志向に突き動かされ、人は死後も残る何物かを求めるようになる。そしてこの志向こそが、宗教をはじめ、歴史、経済、科学、芸術、文化などからなる文明を作りだす原動力になったのだ。

『死の超越』は哲学的議論をできるだけ避け、読みやすくした前書の改訂版であり、『創造経済と究極の幸せ』はそれをさらに簡潔にしたポピュラー版である。

そして本書は、現代人の最大の関心事である経済を中心に、人類の将来をどのように変えるべきかを、新たな情報も組み込み、改めてより具体的に提案するものである。

今日、温暖化などの環境破壊の深刻化、資源の枯渇、先進国における経済成長の停滞、開発途上国を中心とした人口の急激な増加とそれが引き起こす食料難、そして金儲けにのめり込むことから起きる道徳的退廃、宗教の影響力の低下、民主主義の弱体化、SNSなどソーシャルメディアによる人間性の喪失など、人類は多くの困難に直面している。そしてその多くが二世紀近くにわたり人類社会を牽引してきた資本主義の内包する数々の矛盾から生じたものである。

本書はそうした諸問題を解決するため、現行の資本主義経済を創造経済に転換させることで再生し、また歴史を通じて人々に死後の存在を保証する永遠志向社会（歴史社会）を構築することで、信仰を失った人々も含め、すべての人が究極の幸せを実現することを提案するものである。本書は学術書でも哲学書でもなく、限りない可能性を秘めた人類の未来に対する夢と、死という究極の破壊者をも克服する人間の英知への信頼を謳（うた）い上げた、人間賛歌である。

私は、永遠志向思想の構築を始めてから五十年間、ずっと自信と不安が入り混じったアンビバレント（相反する）な心境を持ち続けてきた。自信とは、それが、間違いなく真理に一歩近づいたとの確信であり、不安とは資本主義が死からの逃避として発展したという説が、今の常識からかけ離れたものであり、人々に奇異の感をもって受け止められるのではないかということである。

そうした私を力づけてくれたのは、「真実とはいつも奇妙なものである。それは小説より奇なのだ」（Truth is always strange; stranger than fiction.）という、イギリスの詩人バイロンがその作品“Don Juan”の中で語った言葉である。そして今では断言できる。すべての新たな真実は、広く受け入れられ常識になるまでは奇妙に見えるものであり、その奇妙さこそが、その真実が革新的なものであることの証（あかし）なのだと。

読者、特に次の時代を担う若者が、本書で述べる私の提案に未来への大いなる希望を見出してくれればと願っている。本書は主として君たちのために書かれたのだ。

二〇二〇年三月

渡辺通弘

本書が提起する6つの新たなパラダイム
(理論的枠組み)

1. 利潤追求の資本主義から創造経済への転換による環境保護と資源の温存
2. 創造経済の新たな六本柱
   (1) 消費財の生産から良質な耐久製品の創造への転換
   (2) ハイテク(高度技術)産業
   (3) 人工知能(Artificial Intelligence: AI)
   (4) 芸術創造産業(Arts & Creative Industries: ACI)
   (5) 非営利団体(Non-profit Organization: NPO)
   (6) ベーシック・インカム(Basic Income: BI)制度
3. 永遠志向社会(歴史社会)の構築
4. すべての人に歴史に記録を残す機会を保障する歴史民主主義の確立
5. 民主主義強化のための直接民主主義の部分的導入
6. 創造性や個性を育てるための教育の多様化と人間教育の強化

資本主義の崩壊と再生◆目次

第二章 創造経済(Creative Economy)と資本主義の再生

第三章 永遠志向社会と究極の幸せ

第四章　来たるべき人類の黄金期

カバーデザイン　本澤博子
カバーイラスト　iStock.com/iarti

第一章 資本主義の崩壊

資本主義は、近代において人類社会の牽引力となってきた。それは人類の物質的発展や生活水準の向上に大きく貢献した反面、拝金思想をもたらし、人を利己主義の権化とし、環境を破壊するなどの弊害をもたらし、今やその限界に来たと見られている。その資本主義が崩壊する一〇の要因を解説する。

1　資本主義とは何か

◆資本主義の本質

現代を支配する資本主義とは、一般に投資家や経営者が資本を投資し、生産、分配の手段を所有し、従業員を働かせて利益を上げる制度のことを指す。

ではその資本主義は、どうして生まれ、そして力を増し、今日人類社会を支配するに至ったのだろうか。それは十八世紀半ばにイギリスで起きた産業革命を契機に発達したといわれる。産業革命という言葉は、イギリスの歴史家A・トインビーが、十八世紀の中旬から十九世紀にかけて同国で起きた急激な産業の拡大を描写するのに用いた。産業革命が起きた理由については、説が分かれる。ある者はそのころ起きた農業改革や商業資本の蓄積がきっかけだとし、また他の者は植民地支配の拡大によって、ヨーロッパ諸国に安価な原材料と労働力が流入したためとする。またワットの改良による蒸気機関などテクノロジーの生産への適用が、その要因だとする説も有力である。しかしそうした経済的な要因は、産業革命を可能とした要件ではあっても、その真の原因ではない。

拙著『永遠志向』で詳細に検証したように、産業革命が発生したのは「永遠志向」という心理的要因によるものである。それまでは、来世での永遠の存続を唱えた宗教が、死の宿命がもたらす絶望から人々を守ってきた。しかし近代になって実証を絶対とする科学が急速に広まり、ルネサンスで始まった、善や真理の根拠を人間の理性に求める人本主義（ヒューマニズム）が定着すると、それまで絶対とされた宗教の影響力は弱まった。それはそれまで死からの救いを信仰に求めていた人々を、底知れぬ虚無へと突き落とすこととなる。人々がそうした絶望から逃れるための選択の一つが富の追求と消費の拡大であり、それが資本主義に繋がったのだ。

さらに、それまで道徳的に恥ずべきこととされていた物質主義――もっと正確には、富や快楽が唯一かつ最大の価値であるとする考え方――が、一般の人々にも受け入れられ広がった。富と快楽はそれ自体人々にそれなりの満足を与えるが、それ以上に人々の目を死の現実からそらし、忘れさせる効果があるのだ。こうして資本主義社会では、実際の必要とは関係なく無限に富を蓄積し、あるいはそれを浪費する興奮によって、死の現実を忘却しようとすることが一般化する。この死の宿命への絶望とそれが生み出す物質主義こそが、資本主義という経済体制を生み出したのだ。

◆物質的豊かさの追求がもたらすもの

資本主義とは、それまでの経済が目指していた生活に必要な材の生産と分配だけではなく、最大の利益と最大の消費を生み出すことを目的とした制度である。それまでは世の中には金で買えない価値があり、富は人を堕落させることから有害でもあり得るという考えが残り、金儲けは必ずしも幸せに繋がらないと見られていた。しかし資本主義においては、人々は物質的豊かさの追求に専念することで、心の空虚さを埋めることとなる。

その結果、富の蓄積と消費の増加が信仰に代わって最も厳粛な行為となり、限度のない経済成長が始まる。それ以前は、使える以上の富を蓄積するのは、食べきれない量の食物をため込むのと同じで無意味なことであるとされ、守銭奴のような異常者だけが限度のない富の追求をすると考えられていた。

しかし資本主義では、他の有意義な活動を犠牲にしてでも、富と消費の追求に没頭するのが当たり前になり、強欲と贅沢が美徳になる。行き過ぎた成長によって起こる環境の破壊や資源の枯渇などの問題は、そもそも死の絶望を忘却するために生まれた資本主義に内在したものであり、それを解決するには死を超越する他の道を見つけるか、資本主義そのものを変えなければならないのだ。そこで最初に、資本主義が抱える問題点を確認しておこう。

2　成長の限界

◆現行の資本主義経済が崩れてきた

現行の資本主義が抱える第一の問題点は、経済成長の限界である。資本主義とは、生産手段が私人によって所有され、私益としての利潤を生み出す仕組みである。それは十八世紀半ばに、イギリスで起きた産業革命と、各個人が自由に経済活動を行えば、「見えざる手」（「神の手」とも称する）によって自然に調和がとれ経済は発展すると主張した、イギリスの経済学者アダム・スミスの考えが結びついて生まれた経済制度である。資本主義は、自由な経済活動とテクノロジーの組み合わせによって、人々の生活水準を飛躍的に向上させ、利便性を高め、平均寿命を延ばすなど、人類史上未曽有の繁栄をもたらした。それは間違いなく、史上最も効率的な経済制度だったのだ。

現行の資本主義経済は、資本を投下し、商品を生産し販売して利潤を上げ、それを再投資することで富を増やすというサイクルから成り立っている。それは成長し、拡大していくことを前提とした経済である。そこでは富の蓄積と消費の拡大が人類の進歩を測る尺度になり、また人の地位、権威、そして評価も同じ尺度で測られる。その結果経済は、生活に必要な財とサービスを提供するという本来の目的を超えて、限度のない富と消費の追求に変わる。

その資本主義経済が、近年限界を迎えていると見られている。その最大の理由は、今日先進国を中心に起きている経済成長率の鈍化である。国際通貨基金（IMF）は二〇一九年の世界経済見通し（WEO）で、世界の経済成長率が三％という低率になり、二〇二〇年以降一時的には回復するとしても、長期的には低下の傾向が続くと予測している。これまで高成長を誇った中国も、二〇一九年の成長率は近年で最低の六・一％に落ちている。しかも多くの経済学者が、この数字は粉飾されており、実際の成長率は三～四％程度だと主張している。低い成長率は、低金利、低インフレという現象を引き起こし、世界経済の減速をもたらす。

日本の場合、事態はもっと深刻である。内閣府の発表によれば、日本の経済成長率は一九八一～九〇年の四・四％から、二〇一〇～二〇年には〇・八％に低下すると予測している。これに国と地方の財政の莫大な累積赤字を加えれば、実質的にはマイナス成長だと見るべきだろう。成長の鈍化の理由として内閣府は、土地をはじめとする資産やモノの価格が上昇しないデフレ傾向が高まったこと、新興国との競争が厳しさを増していること、海外への所得移転が増えたこと、人口が減少傾向にあること等を挙げている。私はそれに加えて、年金制度への不信から、人々が一世帯当たり平均一八〇〇万円もの貯蓄をし、企業が現金・預貯金だけでも一六〇兆円以上ともいわれる莫大な社内留保金を抱え込んだ結果、十分な投資がなされないこと、それに消費係数が低い富裕層が増えたことも理由に挙げたい。米中貿易摩擦やイギリスのEU脱退などの政治的なマイナス要因が増えたことも影響している。

経済学者や政治家の多くは、こうした成長率の低迷は一時的なもので、そう遠くない将来テクノロジーの進歩などで持ち直すと見ているようだ。しかし私は、後で述べる資源の枯渇、地球温暖化、所得格差の拡大や投資と消費の減退によって、経済成長の低迷は今後も続き、場合によってはマイナス成長が常態化する可能性すらあると考えている。

その最大の原因は、資本主義経済がその成功のゆえに、母なる地球が許容できる以上の生産と消費を生み出そうとしており、アダム・スミスが唱えた「見えざる手」による経済の調和と、ケインズが主張した財政出動と金融緩和による景気の拡大という、資本主義を支える二つの根本理論が、もはや通用しない時代に入ろうとしていることである。それは経済成長を前提とする現在の資本主義制度が、変わらざるを得ないことを意味するのだ。

◆マイナス成長でも稼働し続ける資本主義

この問題を考察するにあたって我々が理解しなければならないのは、成長の減速または停滞は単に企業経営の困難さが増すとか経済活動が低迷すること以上に、人の生き方自体に深刻な影響があることだ。たとえばそれは、今すでに飢えや貧困で苦しんでいる多くの人をさらに苦境に追い込むことになる。また資本主義の特質である社会の進歩と幸せの程度を物質的豊かさで判断する傾向がある限り、収入と消費を切り詰めることは、人々の間で大きな不満を生み出すことに繋がるのだ。

しかしそれ以上に問題なのは、死後の存在を保証した宗教が力を失った今日、消費や富がもたらす興奮が人々に死という絶対的な宿命を忘れる最大の手段となっていることである。従って人々が消費や富の興奮から目覚めた時、死の不可避という現実を思い出し絶望することになり、それが諸々の社会不安を生み出すのだ。

それでも、経済の不断の成長が困難になった以上、経済成長の減速または低下といった事態にどう対応するかを考えねばならない時が来たのだ。成長の鈍化は経済的には問題があるとしても、地球環境の保護と資源の温存という面からいえば、望ましいことなのだ。少なくとも、まず経済成長ありきではなく、人類の将来を考え環境保護と資源の温存を優先すべきである。そしてそのための政策の変換を提案するのが、本書の目的の一つである。

念のために明確にしておくが、私は市場経済と自由競争に基づく資本主義そのものに反対しているのではなく、儲けの額ですべての価値を定める拝金思想と、量的成長だけを追求する成長至上主義を批判しているのだ。本書は経済成長が鈍化することが不可避なこれからの時代において、仮に低成長あるいはマイナス成長になっても稼働し続ける、倫理的にも正しい新たな資本主義を提案しているのだ。それが、人々の幸せの確保と人類の未来への貢献という新たなインセンティブ（誘因）に基づく創造経済（Creative Economy）である。無駄が多く、規律を欠き、非道徳的で、地球環境を破壊する放蕩経済は、もう終わりにすべきなのだ。

3　拝金思想(mammonism)の蔓延

◆拝金思想の底にあるもの

第二の問題点は、何よりもお金が重要で、金さえ儲かればすべて良しとする拝金思想の蔓延（まんえん）である。そうした金の亡者は古来からいたが、それが地球規模で広がったのは産業革命以降である。それまでは「金持ちが天国に入るよりは、駱駝（らくだ）をして針の目を通り抜けさせるほうがもっとやさしい」（「マルコによる福音書」10：25）という有名な教訓にあるように、金儲けを不道徳なこととみる宗教的制約があった。また人の価値は、主として生まれた家柄や身分によって定められていた。しかし産業革命によって巨万の富を獲得した新興のブルジョワは、金の力でそれまで固定化されていた身分の枠を打ち壊し、社会の実権を握っていった。そうした金の威力を目の当（ま）たりにした人々が、拝金思想に傾いたのは当然のことである。

この思想に染まった人は、金に勝（まさ）る存在はないと心から信じることになる。拝金主義者にとっては、金はいわば神なのである。すべての人々の心の底にある死の恐怖もまた、拝金思想が広まった一因である。人は死の現実を忘れるために限度のない蓄財にのめり込むのだ。こうして老いも若きも富者も貧者も、金を求めて狂奔（きょうほん）するラットレース（ネズミの競争）が始まる。そこでは金がすべてのものを支配する。イギリスの文豪チャールズ・ディケンズは、その小説『クリスマス・キャロル』の中で、冷酷でエゴイストの守銭奴スクルージを通して、金だけでは人は幸せにならないという事実を巧みに描写している。

拝金思想に染まった者は、金の奴隷になり、すべての道徳的価値と無縁の存在になる。フランスの文豪バルザックは、「名誉を伴わない金は悪である」（"Eugénie Grandet"）と言ったが、今日は金さえあれば、なんでもまかり通る世の中である。その結果、金の亡者が大手を振って歩くことになり、一方これまで人としての誇りであった高潔、品格、正直といった特質をすべて備えている人も、金が無ければ誰も見向きもしない。高徳など今や死語となったのだ。それなのに、誰もそうした道徳的退廃を嘆こうとしない。現代は拝金主義者の天国である。

◆人類の将来が危うい

それでも経済活動が比較的小規模であったうちは、拝金主義の広がりは限定的で、その弊害も表面化しなかった。しかし二十世紀後半に入り、経済の規模が飛躍的に拡大し生産が急増すると、拝金思想が経済の暴走と環境の悪化や資源の枯渇を加速させ、人類を滅亡の危機に追い込むこととなる。はっきり言って、各国政府が拝金思想を抑制し、直ちに生産活動や商業活動の野放図な拡大を制限するとともに、環境の悪化を防ぎ資源の温存を図るための思い切った施策を取らない限り、今の形での資本主義制度がそう遠くない将来において行き詰まることは間違いない。

しかし拝金主義者たちはこの真実を認めず、経済成長ですべての問題を解決しようとして事態をさらに悪化させている。そして一般の人たちも、それが自分たちの収入の増加に繋がるかぎり、自爆的ともいうべきこの無謀な経済成長政策を支持している。拝金思想が人類の将来を危うくしているのだ。

二〇一四年一月六日付の「ニューヨークタイムズ」によれば、フランスの市場調査会社イプソスが、「所有する財物が成功を測る基準である」という考えについて賛成の割合を調べたところ、世界の平均では三四%、国別では中国が第一位の七一%、アメリカと日本はほぼ同率の二〇%、そしてスウェーデンは七%となった。世界最大の人口を有し、しかも社会主義を唱える中国で、拝金思想がここまで蔓延していることには、慄然（りつぜん）とせざるを得ない。

4　道徳的退廃

◆消費拡大は幸せに繋がらない

第三の問題は、拝金思想が生み出す道徳的退廃である。現代人の多くは富の創出と消費の拡大にとりつかれている。あまりお金の心配をせずに暮らしたいというのは、古今東西を問わず人々の共通した願いである。しかしそれは、経済的に安定した生活を送りたいということであって、度を過ごした贅沢をし、使いきれないほど金をため込むことではない。人には理想、正義、博愛、礼節、節度など、人間だけが持つ高い理念が求められる。それは人類が幸せになり、末永く繁栄するのに不可欠な精神的基盤である。過剰な物欲と金銭欲に捕らわれ、人としての理念を忘れた者は、かつては守銭奴あるいは金の亡者として蔑(さげす)まれた。また新約聖書でも「金を愛するは、もろもろの悪しきことの根なり」(「テモテ人への第一の手紙」6：10)とされるなど、限度のない金儲けや贅沢には道徳的、社会的抑制があった。

資本主義の原型はイタリアなどを中心に、中世後期からすでに存在していた。しかし初期の資本主義を担った人々は、神への信仰を堅持し、倫理観を失うことはなかった。それに対して信仰心を失った今日の資本家や経営者は、金儲けは不道徳になりうること、また富は人が幸せになるには必ずしも必要ではないということを思い出させる、宗教的、道義的な制約を受けることがなくなったのだ。こうして、死の恐怖に直面した人々は、そのやりどころのない不安を癒すため、限度のない富と贅沢の追求を始める。

その結果、本来は人々の生活の質的向上を目的にするはずの経済活動は、今や経済の量的拡大が目的にすり替わっている。企業は飽くことなく売上の増大を図り、政府は経済活動の拡大と成長を国家の最大の責務とする。人々も企業と国家に洗脳され、消費を拡大することが幸せになる唯一の道だと思い込み、すべてを犠牲にして金を稼ぎ、消費を増やそうとする。同じ衣服を繕（つくろ）いながら長く着、家を修理しながら何世代も住み続けるといった節約生活は、本来の経済から見れば理にかなっているのに、今日では消費の拡大を妨げるとして疑いと蔑みの目で見られる。

今日の先進国の経済は、すでに社会の必要をほとんど満たしているのに、経済発展を継続させるため不必要な商品を作り出し、消費者に押し付けている。まだ使える家を壊して新築し、新車を五年ごとに買い替えさせ、流行と称してまだ着られる服を捨てて新しいものを買わせる。

楽しみながら栄養を摂取できる食事に代わり、サプリメントと称する栄養剤を押し売りする。人々から料理をする喜びを奪い、代わりにインスタント食品や調理済みの食品を押し付ける。成人から自然の運動を取り上げ、代わりにジムに通わせ、ウォーキングマシンその他のさまざまな高価な健康器具を買わせる。本来趣味や家族の団らんに使うべき余暇を、大金を掛けたレジャーと観光旅行で潰してしまう。こうして商品は、不必要でしかも高価なものばかりになる。

◆資本主義の堕落

それでも二十世紀には、資本家による労働者の搾取を非難する社会主義が強い影響力を持ち、資本主義国を敵とする強大な共産主義国も存在し、資本家に対抗する組織としての労働組合もあって、資本主義も自制せざるを得なかった。しかし一九九一年にはロシア・ソビエト連邦社会主義共和国が崩壊し、今一つの共産主義大国である中華人民共和国は、社会主義の看板は残したままで資本主義的な経済制度を取り入れた。また労働組合もかつてのような力を失った。

こうしたライバルの消滅は資本家や経営者の奢（おご）りを招き、ここに資本主義はさらに堕落し、暴走を始める。その結果、健全な起業家精神はすたれ、詐欺や詐欺まがいの商法が蔓延し、大手企業までが利益を優先させ不正を行っている。正直な納税者をあざ笑うかのように、タックスヘイブンを使った大掛かりな脱税行為が大手を振って横行し、世界最大の自動車製造会社のフォルクスワーゲンによる大気汚染防止装置の欠陥の大掛かりな隠蔽工作や、世界的な経済危機の引き金となったアメリカ大手銀行、リーマン・ブラザーズによる無秩序な融資、我が国トップの電機メーカー東芝による会計粉飾、かんぽ生命による顧客への不適切な契約の押し付け、その他談合の頻発など、ありとあらゆる不正が横行している。今日の資本主義社会では、倫理などはもはや死語になっている。このままでは、社会は欲望にまみれ、正直者が損をする修羅場になってしまうだろう。

そもそも儲けや消費の多寡だけですべてを評価する今日の風潮は、異常なだけでなく道義的に許されないものなのだ。人間の価値は、どのくらい金を持っているかではなく、その人がどのように社会に尽くし、他の人の助けになっているかで測られるべきである。この当たり前のことを再認識することで、資本主義の道徳的欠陥、特に過度な贅沢や不必要な蓄財を礼賛する傾向を是正する必要があるのだ。しかしそうした当たり前の道徳律を人々に理解させるのは、言うは易くして、実際には極めて難しいことである。人々は死から逃避するために金儲けと贅沢に走っているのであり、その彼らに生き方を変えさせるには、死がもたらす不安と苦しみを解消する他の道を提示するしかない。資本主義の欠点である道義的退廃の是正は、人類のより良い未来のためには避けて通れない道である。

◆アベノミクスという放蕩経済

我が国の場合、近年放蕩経済の様相が顕著になってきている。政府はアベノミクスと称する景気刺激策のために一一〇〇兆円以上という途方もない財政赤字を累積し、日銀もまた、マイナス金利という異様な金融政策で景気を立て直そうとしている。このままでは次の世代は、赤ん坊も含め一人当たり一〇〇〇万円近い借金を負わされることとなる。それでいて経済は、改善されるどころか停滞したままである。その第一の責任は、人気取りから放漫財政を続ける政府にあるが、国民もまた、子供や孫に途方もない額の借金を付け回して贅沢をするという、許しがたい大罪を犯しているのだ。最近政府は、「これまでのアベノミクスの成果を前進・加速する」として二六兆円を超す「安心と成長の未来を拓く総合経済対策」を打ち出したが、これこそ放漫財政の最たるものであり、消費税増税の効果を打ち消し国の財政を悪化させるだけの、悪しき政策である。

大体「アベノミクスのこれまでの成果」とは何なのか。国際通貨基金（ＩＭＦ）のデータでは、日本政府の債務は国内総生産比の二三七％で、財政健全度はなんと世界最下位の一八八位（IMF Economic outlook 2018）まで落ち込んでいるのだ。しかもその経済政策の目玉はカジノの誘致なのである。そしてこの失政を覆い隠すため政権寄りの経済学者は、国家は自国貨幣をいくらでも増刷できることから、絶対に破産することはないとする、いわゆるMMT（現代貨幣理論）と称する無責任極まりない説を唱えるようになった。しかし放漫財政をいつまでも続けることができないのは自明の理である。

◆迫りくる財政破綻の悪夢

たとえば、アルゼンチンは放漫財政の付けとして、二〇〇一年からこれまで八回も政府債務の返済ができなくなる、いわゆるデフォルトに陥り、今日でもまだ巨額の債務を抱えたままでいる。デフォルトは最近でも、エクアドル、ブラジル、メキシコ、ロシアなど多くの国で起きており、その間国民はインフレや預貯金の凍結、重い課税、自国貨幣の交換率低下などに苦しんでいる。ギリシャも二〇一五年に債務超過になったが、八五〇億ユーロ（約一二兆円）のEUの支援で辛うじてデフォルトを回避した。同じことが日本でも起きる可能性があるのだ。そうなれば介護や医療の質の低下、年金の切り下げ、預貯金の凍結なども当然に起きるだろう。

日本でこれまでデフォルトが起きていないのは、巨額の国民の貯蓄と社内留保金があることで、諸外国が日本が全体としては経済的に余力があると見ているからである。いわば国民の資産が国の借金の担保になっているのだ。そして財政の累積赤字が預貯金や社内留保金の額を超えるのが判明した段階で、あるいは今後温暖化により急増するであろう大規模な災害が頻発した時に、デフォルトは間違いなく発生する。現政権は、その任期中にはそれが起きないと高を括り、後のことは自分たちの責任ではないとするのだろう。

国民の間に不安が広まるのを恐れて、将来における財政破綻の可能性を隠蔽する政府や経済関係者の姿勢は、もはや経済の問題というよりは、道義上の問題である。このままでは我々世代は後世から、無責任な財政政策で日本経済を崩壊させた戦犯として、強く非難されるだろう。日本にごまんといるはずの経済学者の間で、このような無責任な経済政策を批判する声が蚊の鳴く程度にしか上がらないのは、いったいどうしてなのだろうか。

◆経済の奴隷

こうした経済面における道徳的退廃を是正するのは容易ではないだろう。人が無駄な贅沢をし、限度のない富の追求に走るのも、肉体的安逸(あんいつ)や感覚的享楽に溺れるのも、その底には宗教とその来世思想の弱体化によって死の現実に直面した現代人の、やりどころのない不安があるのだ。一人で留守番をする子供が寂しさを紛らわすため、絶え間なくお菓子を食べ、おもちゃで遊ぶように、大人たちは金を儲け、物を買いあさることで、死の必然を忘れようとする。企業はコマーシャルで「もっと買え、もっと買え」と煽り立てる。言い換えるなら、今日の消費経済の原動力となっているのは、物質的必要ではなく、死の現実を忘れるための精神的な必要なのである。従って政府も、人々の精神的不安を紛らわすためには、景気刺激策を続けるしかないのだ。

同様に今日、先進社会で人が働くのは、労働に生きがいを感じるからでも、働かなければ飢え死にするからでもない。働いて儲けた金で物を買うことで、死の絶望を忘れたいからである。そして彼らが働いてその賃金で買い物をすれば新たな需要が生まれ、経済が繁栄する。かくて資本主義の下では市民は経済の奴隷となり、働いて消費をする機械と化す。

5　環境破壊

◆温暖化がもたらす地球環境の危機

第四の問題点は環境汚染、温暖化などの環境破壊で、このまま放置すれば、経済の崩壊や健康被害などの深刻な結果をもたらすことは避けられない。特に気温と海水温の上昇は、近い将来人類の生存を脅(おびや)かすものであり、緊急に対処しなければならない問題である。一九七二年に、世界の識者が集まって人類が直面する問題について話し合ったローマクラブが、科学者の意見も聞いてまとめた「成長の限界」という報告書は、「人口増加や環境破壊の傾向が今後も続く場合、百年以内、いやおそらくは五十年以内に環境の汚染と資源不足で、世界経済は成長の限界を迎える」と警告した。残念ながら、それからほぼ五十年を過ぎた今日、人口の増加と環境の破壊はかえって加速しており、ローマクラブの予言は現実のものになろうとしている。良識に耳を貸さず地球環境の破壊を止めようとしなかった人類の、いかに愚かなことか。

特に大気や海水の温度が上がる地球温暖化については、ほとんどの科学者がその進行が早まっていると警告している。ＩＰＣＣ（気候変動に関する政府間パネル）により行われた最近の調査によれば、何らかの抜本的な手段を講じない限り、世界の平均気温は、今世紀末には最大で四・八度上昇すると警告している。そうなれば海水温の上昇により北極とグリーンランドの氷が解け、海水の体積が増えることもあって、海水面は上昇し、多くの都市や耕作可能地が海面下に沈んでしまうことが危惧される。

日本も最近、記録破りの大雨などで河川の氾濫が各地で起き、大きな被害をもたらしているが、そうした天災は、今後ますます大型化し、頻繁に起きることとなろう。石炭や石油などの化石燃料が生み出す二酸化炭素などの増加による温室効果と、それを吸収してくれる熱帯雨林が過剰な開発によって減少していることが、その主な原因である。また地球表面の一四％を占める永久凍土がすでに解け始めており、凍っていた太古の植物や動物の残骸から大量のメタンやCO_2が放出され、温暖化を加速することも危惧されている。

◆自滅に向かう人類

温暖化が急速に進行しているのは、否定しがたい事実である。読者も、日本を含めた世界各地で、観測史上最高の異常な高温が報告されていることは、ニュースや天気予報で聞いているはずである。その結果、各地で大規模な洪水や高潮、干魃、山火事、そして巨大な熱帯性低気圧（台風）が発生し、深刻な被害をもたらしている。日本も二〇一九年には、台風一九号とその後の大雨で大きな被害を受けたが、それはほんの序の口で、温暖化が進行するこれからはさらに大きな災害が頻発することは避けられない。

一方、温暖化とは逆行するように、二〇一九年十月にアメリカとカナダを季節外れの超寒波が襲い、シカゴではマイナス二六度、ミネアポリスではマイナス三〇度を記録し、多くの被害をもたらした。この現象は、温暖化の影響で偏西風が大きく蛇行したため、北極の冷気が流れ込んだ結果である。我々が手をこまぬいていればそうした異常な傾向は今後急速に強まり、やがては経済を破壊し、さらには人類の存続すら脅かすこととなりかねない。

それなのに政治家も経済人も、そして一般人も金儲けと消費に固執し、成長を鈍らせる可能性のある環境対策の強化に、真剣に取り組もうとはしない。消費の多寡をもって経済発展の度合いを測ったり、富を成功の尺度とする風潮が残る限り、また人々が浪費と蓄財を死の現実からの逃避の手段としている限り、環境の破壊は止まないだろう。そうした傾向を是認し、無謀な経済成長政策を推し進める政治家や経済人は、人類を滅亡に追い込む大罪人である。人類は、愚かにも自滅への道をたどっているのだ。

◆グレタ・トゥーンベリさんの発言の波紋

二〇一九年九月に開かれた国連「気候行動サミット」で、スウェーデンの十六歳の環境活動家グレタ・トゥーンベリさんが、声を荒らげ各国代表を睨(にら)みつけながら、気候変動への各国の対応を次のように非難した。

「すべてが間違っています。大絶滅を前にして貴方たちは、お金のことや経済成長がいつまでも続くというおとぎ話ばかりしています。私はあなたたちを絶対に許さない」。そして「今のシステムで解決できないなら、システム自体を変えなければなりません」とも言いきった。これに対して大人たちからは、「子供が政治的発言をするのを許すべきではない」とか、「彼女に経済発展の大切さを教えるべきだ」といった声が上がっている。しかし彼女が言うように、我々大人たちが「子供たちの目の前で彼らの未来を奪っている」以上、彼女が次の時代を担う者を代表して大人を批判するのは、当然のことである。

彼女の祖国スウェーデンでは、環境の保護に国を挙げて取り組んでいる。たとえば環境教育が四歳から始まり、二酸化炭素排出企業に対する環境税が導入され、環境保護関連法規を順守させるための環境裁判所が設置されている。家庭ごみのリサイクル率は日本の二〇%に対し九六%に達し、バナナやリンゴの皮などから作ったアルコールを燃料としたバスが、常時運行されている。また多くの家庭の冷蔵庫には「孫のためにすぐ冷蔵庫を閉めよう」という貼り紙がされ、スーパーの商品のほとんどに環境保護商品のラベルが貼られ、公共機関では生物由来の資源やリサイクル製品が優先して使用されている。そうした背景が彼女に環境破壊に対する怒りを持たせるのだ。

◆日本の若者よ、立ち上がれ！

彼女の呼びかけに応じて、スピーチの直前に世界各国で七六〇万人を超える若者がデモ行進をしたが、環境破壊の直接の被害者になる次世代の若者が挙げる抗議の声を、我々大人たち、特に政治家と経済人は、真摯(しんし)に聴くべきだ。それにしても日本ではデモ参加者が五〇〇〇人に留まるなど、環境保全活動が低調なことに大きな危機感を抱くのは、私だけだろうか。

幸か不幸か温暖化が本格化した時には、我々高齢者の多くはすでにこの世を去っているだろう。しかしそれは今の若者の存命中に起きる可能性が極めて高いのだ。若者がその特権である理想と正義感に燃えて今すぐ環境保護のために立ち上がり、人類を危機から救うのか。それとも無責任な大人に同調して環境破壊に加担し、あるいは無関心に留まることで、人類文明の破壊者になるのか。今こそ君らにとって選択の時が来たのだ。

6　環境保全活動の停滞

◆急増する温室効果ガス

第五の問題は、環境保全の努力が、必ずしも効果を上げていないことである。資源不足などは代替原料が見つかることで解決することもありうるが、深刻なのは、いったん温暖化が進むと、それを元に戻すことはほとんど不可能ということなのだ。

世界が環境問題に全く無関心なわけではない。一九九七年の国連気候変動枠組条約締結国会議で採択された京都議定書は、温暖化の原因となる温室効果ガスの排出量の制限を定めている。また二〇一五年に採択されたパリ協定では、①気温の上昇を産業革命時の二度未満、できれば一・五度以内に抑える、②二十一世紀後半には温室効果ガス排出量と森林などの吸収率とのバランスをとる、の二点を決めた。しかし専門家の多くは、①に関しては、二度未満でも深刻な影響が出るのは避けられないとしており、②に関しては、アマゾンなどの熱帯雨林が急速に破壊されていることもあり、排出量と吸収率のバランスをとるのは不可能だとしている。

仮にパリ協定の国別制限目標を完全に達成したとしても、今世紀末の気温は三度上昇し、温暖化の被害は壊滅的になるといわれる。これまでの温暖化対策は、急激な環境破壊を前にしては、"too little, too late"（少な過ぎ、遅過ぎ）なのである。最近UNEP（国連環境計画）が、二〇一八年の世界の二酸化炭素排出量が「過去最高に達した」と発表している。

◆否定された温暖化懐疑論

一九八八年、IPCC（気候変動に関する政府間パネル）が地球温暖化を警告した後も、石油会社やたばこ会社、保守系のシンクタンク、それに一部の科学者は、現在の温暖化は二酸化炭素の放出などの人為的なものではなく、氷河期からの回復など、過去にもあった自然の気候変動の繰り返しに過ぎない、と反論してきた。

それに対してIPCCは、一九九〇年以来、世界中の科学者や大学などの科学関連組織が発表した論文や報告書などを精査し、化石燃料の使用などが主因であると断定した。このIPCCの見解に同意するのを阻んできた米国石油地質家協会（AAPG）が態度を変えたことで、温暖化人為論（温暖化の主要な原因が人間が化石燃料を使用することにあるとする説）に反対する国際的な組織は皆無となった。それにもかかわらず、アメリカと世界最大の石炭輸出国であるオーストラリアは、温暖化防止のためのパリ協定から脱退した。政治的、経済的思惑から温暖化防止のための国際社会の努力に背を向ける人々は、人類滅亡の危機を引き起こしかねない人類史上最低の愚か者として、歴史に記録されるだろう。

◆温暖化の主犯たち

温暖化などの気候変動を引き起こしているのは、主として一部の先進国と新興国である。二〇一六年にＪＣＣＣＡ（全国地球温暖化防止活動推進センター）が発表した統計によれば、世界の二酸化炭素排出量のうち、中国が二八・〇％、アメリカが一五・〇％、インドが六・四％、ロシアが四・五％、日本が三・五％を占めている。この五カ国が世界の二酸化炭素の六割近くを排出していることとなる。従ってこれらの国が真剣に取り組まなければ、温暖化に歯止めはかからないのだ。しかし環境汚染の主犯である経済大国の動きは極めて緩慢である。

中国は数々の環境保護政策を打ち出してはいるが、エネルギー源を主として石炭に頼っているためその効果は限定的で、多くの都市が酸性雨やスモッグに見舞われるなど、文字通り世界一の「汚染大国」になっている。トランプ政権下のアメリカは、パリ協定から離脱するなど温暖化対策に後ろ向きである。日本政府も、地球温暖化防止推進を定め、また二〇三〇年の温室効果ガスを二〇一三年比で二六％削減する計画を打ち出しているが、一方で経済的に有利であることを理由に、先進国の中で唯一、大気汚染や温暖化の元凶とされる石炭火力発電所を多数建設し、途上国にも輸出している。

二〇一九年十二月二〜十三日にスペインで第二五回国連気候変動枠組条約締結国会議（COP25）が開催された。それは丁度私が本書の初稿を書き終えた時だった。この会議では、会期を二日間延長して二〇二〇年から実施されるパリ協定の実施に当たってのルールが話し合われたが、各国が約束した温室効果ガス削減量を義務化することについて、アメリカ、中国、ブラジル、インド等の反対で合意が成立せず、来年のCOP26に持ち越された。会議後、グテーレス国連事務総長は公式ステートメントで、「国際社会が気候危機に立ち向かう機会を失った」として失意を表した。盛り上がるかと思われた温暖化防止の機運が、頓挫（とんざ）したのだ。

◆非難の矢面に立つ日本

それでも会議では、八四カ国が前回のCOP24で合意した温室効果ガスの削減目標を引き上げると発表し、七三カ国は二〇五〇年までに排出量を実質ゼロにする約束をするなど、それなりの成果もあった。しかし出席した小泉進次郎環境大臣は、削減目標の引き上げは表明せず、実質排出量をゼロにする約束もしなかった。さらにグテーレス事務総長が呼びかけた二〇五〇年までに石炭火力発電を全廃する件についても具体的な発言はなく、会場からは大きなブーイングが浴びせられ、石炭に見立てた紙の球を投げつけられた。

日本は今でも三〇基もの石炭火力発電所の建設を計画し、しかも先進国で唯一開発途上国に多くの石炭火力発電所を輸出しており、大臣がその政策の変更を発言するのではないかと期待していた参加者が、裏切られたと感じたのだ。国際NGOのCAN（気候変動ネットワーク）からは、温暖化対策に消極的な国に与えられる不名誉な「化石賞」を贈られた。一方、温室効果ガス排出量世界一位で、日本の八倍以上も排出する中国は、特段の非難も受けずに逃げ切った。朝日新聞によれば、小泉大臣は石炭火力発電を制限する国際公約案を用意したが、エネルギー基本計画との整合性などから、官邸筋の了解が得られなかったとのことである。

いずれにせよ今回の会議で日本は、長年かけて築いてきた良識ある国としての国際的な評価を一気に失ってしまった。その第一の責任は小泉案を退けた官邸と、石炭火力発電を国策として推進する経済産業省にある。石炭火力発電に固執する限り、国際社会からの風当たりはさらに強まるのは避けられないだろう。小泉大臣は演説の中で、「我々は脱炭素化にコミットしている」と発言したが、政治家としての名誉にかけて、日本の地球温暖化対策を根本から見直す国際的な責任を負ったといえよう。

◆飛行機を使わないグレタさん

グレタさんは会議で演説をし、「一番危険なのは、行動しないことではなく、政治家や企業家がほとんど何もしていないのに、ずるがしこい説明と想像力豊かなPRで、行動をしていると見せかけることだ」と指摘した。これはそのまま、日本政府への批判でもある。人として、また一国民として、経済を優先し人類の危機への対応を後回しにする日本政府の姿勢を心から恥ずかしく思う。一部の関係者は、CO_2を固形化して地中に埋める技術が研究されており、温暖化について神経質になる必要はないというが、人類の将来を単なる仮説に任せるわけにはいかないのだ。特に国際社会が万一に備え真剣に対策を練っている時に、単なる仮説に基づきそれに冷や水を掛けるような言動をとれば、日本は世界から仲間外れにされてしまうだろう。

それにしても、この問題についての国内の世論の冷たさには愕然とした。ツイッターを見ると、グレタさんに対しても「ぶらぶらしていないで学校に戻って勉強しなさい」とか、「尻を叩いてお仕置きすべきだ」といった心無い投書がほとんどだ。やはり日本人はエコノミックアニマルだったのだ。彼女はこの会議に出席するため、排気ガスをまき散らす航空機を使わず、小さなヨットで大西洋を往復している。最初は開催予定地であるチリに向かったが、開催地がスペインに変更になったため急遽戻ったのだ。知人の一人は、「ヨットでの旅とはずいぶん優雅なものだね」と皮肉交じりで言ったが、とんでもない勘違いである。それがいかに大変なことであるかは、拙著『鴛鴦（おしどり）の思い羽』（悠光堂、下巻）の「ニューヨークへの赴任」を読んでいただければ分かる。私は一九六七年十二月、パリのユネスコ（国連教育科学文化機関）本部からニューヨークのユネスコ・国連連絡事務所にLiaison officer（渉外連絡官）として転勤することになった。しかし長女がその月初めに生まれたばかりで、ユネスコの医務官から、この時期の赤子を飛行機に乗せると聴覚障害が起きる危険があるとして、許可されなかった。

しかし国連の予定もあり延ばすわけにはいかず、一方、十二月の大西洋は一年で最も荒れる時季で、ほとんどの旅客船は休航していた。結局、唯一運航していた三万五〇〇〇トンのイタリアの豪華客船ミケランジェロ号で、ジェノアから渡米することになった。船は大揺れに揺れ、船客のほとんどは船酔いになり、妻のまゆみも船室にこもって、スープだけで過ごさざるを得なかった。この時期に小さなヨットでの片道二十日間もの長い船旅は極めて危険であり、大変な苦労であっただろう。ヨット歴四十年の私には、その厳しさが痛いほど分かる。それでも航空機を使用しなかったグレタさんの信念には、ただただ頭が下がる思いである。

◆経済成長の鈍化を恐れる先進国

一部の国が環境問題にあまり熱心でないのは、排気ガスなどの規制を強めれば経済成長が鈍ることを恐れるからである。今日多くの政府にとって一番の関心は、環境保全ではなく、経済成長の維持である。もし温暖化対策を本格的に実行すれば、経済成長が鈍り、投資は減少し、株の値が下がり、失業が増え、資本主義経済が成り立たなくなると考えているのだ。だから破局が近づいていることを知りながら、経済成長を維持するため、環境破壊や資源の浪費を容認せざるを得ないのだ。それは現代人が目先の金儲けに気を取られ、自分の生涯を超えた長期的な視野でものを見ない結果である。政府も国民も、環境の破壊などは先のことだと高を括り、それが後の世代を苦しめることなど、気にもしていない。未来の世代が抗議できないことを良いことに、彼らの犠牲のもとで自分たちだけは良い生活をしようとしている。目先の利益のために人類の将来を危機にさらす現代人の身勝手さには言葉もない。我々は環境破壊と資源の枯渇という人類絶滅の要因を作ることで、史上最凶最悪の世代になろうとしているのだ。

◆節約経済の勧め

環境に無理な負担を掛けず、しかも人口が急増し、飢えと貧しさに苦しむ開発途上国についてはそれなりの経済成長を認めるとすれば、先進国は経済成長政策を変更し、消費の絶えざる拡大を諦め、節約経済を導入する必要があるだろう。今、緊急に必要なのは、エネルギーの四〇%を消費する電力源を、化石燃料から太陽光、風力、潮力、地熱などに全面的に切り替えることであり、自動車の燃料を電気や水素にすることであり、自動車の利用を抑えるための公共交通網の改善と自転車専用車線の整備を進めることである。燃料をがぶ飲みにする航空機での観光と称する物見游山などは、できるだけ自粛すべきである。

家庭での電力消費を抑制することも不可欠だ。カジノを中心とした総合型リゾート（ＩＲ）に代表される無駄で不健全な遊び場の開発は、中止すべきである。まだ使える建築物などの修繕による延命や、廃棄物の完全リサイクルは早急に実施しなければならない。計画的陳腐化（Planned Obsolescence）などの犯罪に相当する行為は当然に禁止されるべきだ。中元や歳暮といった虚礼を廃止することも必要だ。行き過ぎた贅沢は罪悪であることを再確認する必要もある。そして国連憲章第二六条にある「世界の人的及び経済的資源を軍備のために転用することを最も少なく」することで、軍備費という途方もない資源の無駄使いを抑制することである。

これらは、成長を前提とした今日の資本主義経済の変革を意味する。それでは経済が破綻するという声が上がるだろうが、今のままの成長ありきの政策を続ければ、経済はいずれにせよ崩壊するのだ。環境政策が最も進んでいる北欧諸国はまた、経済的に最も安定している国でもあることも忘れてはならない。

そもそも経済（economy）のギリシャ語語源は、oikos（家）とnemein（やりくり）からきたもので、節約という意味合いが強かったのである。それが資本主義の進展とともに、金儲けと消費拡大を意味するものとなったのだ。私はその経済の意味を、ギリシャ語の語源にある節約と有用な物を作り出す創造に戻すことで、環境破壊とそれがもたらす文明の崩壊を食い止めることを提唱しているのだ。

7　資源の枯渇

◆有限な資源をどう守るか

　第六の問題点は、資源が枯渇する可能性である。資源とは通常、人の生活と経済活動の維持に必要な原材料を指す。それは自然が作り出したもので、人工的には再生できないことから「枯渇性資源」とも呼ばれる。その中でも最も重要なのが水資源で、地球上の水のうち利用できる淡水は一％程度とされ、生活用水、農業用水、工業用水に使われ、近年世界的に不足傾向が高まっている。

　ユネスコの調査によると、世界の水の使用量は、一九五〇年から一九九五年の間に二・七四倍に増え、その中でも生活用水の使用量は六・七六倍に増えている。このまま水の使用量が増え続ければ、二〇五〇年には、世界人口の半分近くが深刻な水不足に直面すると予想される。アフリカは最も人口増加が著しい地域だが、それは水の使用量の増加をもたらし、水不足がさらに加速している。そのため食料生産の減少に加え、水争いから起きる紛争の多発も心配される。今日すでに水の汚染によって、毎年数十万人が病に侵され命を落としている。

国土の七割が森林に覆われ水に恵まれた日本も、水不足からは逃れられない。日本はカロリーベースで食料の六三%を輸入に頼っており、そして食料を生産するには水が必要である。東京大学生産技術研究所の試算によれば、牛肉一キロを生産するには二万リットルもの水が必要であり、日本は水の一大輸入国なのである。世界の水不足は食料の輸入が難しくなることで、日本を直撃するのだ。

自然環境も資源だが、毎年日本の国土の半分に相当する開発途上国の森林が、先進国の資本により商業目的で伐採され、そのほとんどが日本を含む先進国に輸出されている。そして伐採後の土地の半分が、草も生えない荒れ地になっている。このままいけば世界最大の森林であるアマゾンも、そう遠からず砂漠化すると予想される。二酸化炭素を吸収してくれる森林が減少すればそれだけ温暖化が進行するのだ。それに加えて焼き畑農業、酸性雨などで土壌が荒廃し、旱魃(かんばつ)による砂漠化もあって耕作地が減少し、食料生産が頭打ちになっている。特に深刻なのはアフリカで、耕作地の三分の二が乾燥地であり、しかも過放牧、過耕作が常態化し、その四分の三が耕作不能になったとされる。

今日最も重要なエネルギー源とされる石油の場合、アメリカでのシェールオイルの開発によって、今後五十年は需要を満たせるといわれている。しかし五十年というのは、人間の歴史から見ればほんの一瞬のことで、今のままの消費を続ければ、我々の孫の代には確実に枯渇するのだ。石油の代替燃料とされる天然ガスも、埋蔵量はもう五十年分程度まで減っている。食料についても、品種改良や森林の伐採によって耕作地を広げることで何とか増産を維持しているが、それにも限界があり、人口の急増には追い付けないだろう。遺伝子操作などの先進技術による増産に期待する向きもあるが、その可能性はまだ科学的に確認されていない。また遺伝子操作は予期しない副作用（バイオハザード）が危惧されている。それに加え、絶対的な食料難が来る前に、食品価格の高騰が、世界の人口の大半を占める貧しい国の人々を苦しめるのだ。国連の報告によれば、今日世界で飢えに苦しむ人の数は、すでに八億二一〇〇万人を超える。

◆懸念される生態系の破壊

あまり知られていないが、資源としての生物多様性の危機も見逃せない問題である。人間活動などによって現在分かっているだけで一八〇〇万種といわれる地球上の生物の半分近くがすでに絶滅するか、その危機にあるといわれる。生態系では種類が多いほど食物種が多く、全生物の生存の可能性も高まる。そのことは、生物多様性が崩れれば、生物の一種である人間の生存の可能性も狭まるということだ。

たとえばカエルが絶滅すれば蚊が繁殖し伝染病が蔓延するだけでなく、カエルを食物とする蛇や猛禽類の数が減り、ネズミなどの害獣が増え、ただでさえ不足がちな人類の食料を食い荒らすのだ。いったん崩れた生態系は復活が困難だというのに、人間は傲慢にも躊躇もなく多くの種を駆除し、あるいはその環境を破壊することで、自分の首を絞めている。かつては大衆魚であったにしんやうなぎ、そして最近ではさんまなども乱獲で数が急減し、今では高級魚になろうとしているのも、生態系の危機の例である。人類はすべての生物にとって、地球上で最も危険で残忍な殺戮者になったのだ。

それ以上に懸念されるのは、先進国の数倍の人口を抱えている開発途上国が経済成長を達成した時のことである。彼らが先進国に倣って自動車を保有し、エアコンを使い、観光旅行を楽しみ、肉などの高蛋白質の食事を増やしたなら、資源はたちまち枯渇し、環境は悪化し、母なる地球は間違いなく壊れてしまう。そしてその責任は、野放図な金儲けと過剰な贅沢という悪しき先例を作った先進国にあるのだ。その我々が、開発途上国の人たちが経済発展を達成した時に、どうして同じ贅沢をしてはいけないと言えるだろうか。

8　人口増という時限爆弾

◆飢餓と南北問題

第七の問題点は、近年顕著になっている世界的な人口増加である。国連が最近発表した人口予測によると、現在七四億人いる世界の人口は、アフリカなどの開発途上国を中心に毎年約八三〇〇万人ずつ増えており、今世紀末には、一一二億人を超えるとしている。開発途上国ではこれまで多産多死の傾向が強かったのが、医療や衛生の改善などで、多産少死になり、それが人口の急増に繋がっているのだ。もし早急に人口対策を講じなければ、環境の破壊はさらに加速され、地球上の資源は枯渇し、各国の間で資源の争奪戦が起き、世界は混乱に陥る可能性が高い。

特に危惧されるのは、食料の不足である。前述のように世界の食料生産は、水や耕作地の不足もあり、また温暖化の影響もあって、頭打ち状態にある。従って人口が急増すれば食料不足がさらに深刻化し、世界的規模の飢餓が発生する可能性が高いのだ。人口過多とそれがもたらす食料不足は、近い将来人類社会が抱える最も深刻な問題の一つになるだろう。十八世紀のイギリスの思想家マルサスは、人口は制限されなければ幾何級数的に増加するのに、生活資源は算術級数的にしか増加しないため、必然的に貧困と飢餓そして戦争がはびこり、結局は人口が減少すると主張したが、それが現実のものになろうとしている。

人口の急増が生む今一つの問題は、貧しい国の人口が急増する一方で、日本を含む多くの先進国で人口が減少するか停滞していることである。そのため、世界的な人口分布のバランスが崩れ、その結果多くの飢えた人が難民となって、まだ空間がある豊かな先進国を目指してなだれ込む可能性が高い。今でも先進諸国は南からの難民の流入問題で苦慮しているが、近い将来、桁違いの数の飢えた人々が大集団を組んで北に向かう、民族移動ともいうべき現象が起きることが想定される。この南北問題は、放置すれば人類社会全体を揺るがす人類史上最悪の問題に発展しかねないのだ。

それを防ぐには、経済・技術協力によって開発途上国の経済を安定的に発展させ、食料の自給を可能とするとともに、これらの諸国に、より計画的な人口政策を取り入れる努力を求めることが必要となる。しかし産児制限は、人道上あるいは信仰上の配慮も必要であり、またあくまで当事者の自発的な合意が前提となることから、人口増の流れを食い止めるのは容易ではないだろう。

◆決め手となる女性の地位の向上

人口問題解決の鍵は、開発途上国における女性の地位の向上にある。子供を産み育てるのは母親にとって大変な負担であり、もし女性の地位と発言権が強まれば、彼女らは当然に生活の質の向上を求め、自分たちの意に沿わない妊娠は拒絶するだろう。その結果過剰な出産は抑制され、先進国で起きているように出生率が低下するのだ。また女性が育児と家事から解放されれば、開発途上国に蔓延する貧困と無知を解消する上での大きな戦力になるだろう。

日本を含む先進国も、二十世紀中ごろまでは人口増から移民を海外に送り出しており、開発途上国を批判する立場にはない。しかし人口過多は環境への負担を増し、貧困を拡散するだけでなく、世界平和への脅威になる可能性が高いのだ。国際社会が、手遅れにならないうちに一刻も早く、開発途上国での女性の地位向上を核とした人口過剰対策の検討を始めることを期待したい。

9　富の偏在と所得格差の拡大

第八の問題は、富の偏在と貧困である。貧困には大きく分けて二つの種類がある。それは必要最低限の所得が得られない「絶対的貧困」と、国民の平均的な収入より所得の低い「相対的貧困」である。絶対的貧困とは、世界銀行の定義によれば一人一日一・九ドル（約二〇七円）以下の収入しかない場合を指す。同行の調査では、世界の絶対的貧困者数は一九九〇年の一八億九五〇〇万人に対し、二〇一五年には七億三六〇〇万人に減少している。この数字を見ると、資本主義経済は一見、貧困対策として有効に働いているようにも見える。

◆「絶対的貧困」と「相対的貧困」

しかし問題は相対的貧困である。OECD（経済協力開発機構）の統計によれば、日本の相対的貧困率は年々増加しており、一九八五年の一二％から二〇一六年には世界でワースト一四位の一五・七％に上っている。また資本主義経済を取り入れた中国の相対的貧困率は二八・八％と世界最悪であり、さらに資本主義の総本家アメリカは、世界ワースト六位の一七・八％である（「ＯＥＣＤ対日経済審査報告書二〇一七年版」より）。このことは現行の資本主義制度は、相対的貧困を拡大する内在的要因を抱えていることを示している。

忘れてはならないのは、経済活動は人間の本能の一つである権力欲（私はこれを「優位志向」と呼ぶ）によって動かされていることである。人は飢えた時には食料を得るために働くが、飽食した現代では、金のために働く。しかも金がすべての価値の基準となった資本主義社会では、金をどのくらい持っているかではなく、他の人より多く持っているかどうかが重要になる。それが優位志向である。このため豊かで何一つ不自由のない人でも、自分より金を多く持つ人を見ると、劣等感と嫉妬に駆られ、不幸だと感じるのだ。こうしてすべての人が金儲けを際限なく追求し、その結果、環境破壊が拡大することとなる。そして相対的貧困に陥った人は、下流と呼ばれ、社会の失敗者として見下され不満を募らせる。現行の資本主義は、一握りの大富豪を除いて、すべての人を欲求不満にする仕組みなのだ。

アメリカでは、大手企業トップの報酬と平均的な労働者の給与の差は、一九六五年の二五倍から、二〇一八年には三一〇倍にひらいている（Economic Policy Institute のデータ）。これは平等を唱える民主主義国家として、あってはならないことである。今日、世界でトップ二六人の富豪の資産は、貧しい三八億人の資産に等しい。こうした極端な富の偏在は、怒りと不満を生み出し、政治的な安定を脅かしている。これらの富豪たちが今より十数パーセント余分に税金を払えば、世界の絶対的貧困問題はほとんど解消できるのだ。

この観点からすれば、富を必要以上にため込んだ富豪などは、社会にとって有害無益な存在であり、金儲けを礼賛する現行の資本主義は、大多数の人を不幸にする悪しき仕組みということになる。この状況は最終的には、「第二章 11 第六の柱」で述べるベーシック・インカム制度の導入で解決を図るべきだが、その間、累進課税の強化、富裕税や資産税の導入、企業の社内留保金への課税、贅沢税などの増税で得た金を、貧困層に再配分することが急務である。

◆子供の貧困は社会の損失

特に必要なのが子供の貧困の解消である。日本では相対的貧困家庭の半分がひとり親家庭である。これは親が家事と仕事、育児を一人で背負うことを意味し、子供の教育にまで手が回らない場合が多い。それが学力の低下を招き、経済的な面と合わせて高等教育に進学できないケースが増える。そしてそれが大人になった時の経済格差に繋がるのだ。これが貧困の連鎖である。

日本財団の「子どもの貧困の社会的損失推計」によれば、子供の貧困がもたらす社会的損失は、二八・三兆円に上る。政府は、児童手当や保育料の無料化、教育費の負担軽減などの対策を取っているが、とても十分とはいえない。何の責任もない子供に貧困を強いるのは、人の平等を唱える民主主義国では許されないことである。出生率が低下している今日、子供は社会の宝である。富の平衡化に当たっては、子供の貧困問題の解決が、最優先の課題として取り上げられるべきである。

極端な格差は諸悪の根源である。経済的に平等な社会では、人は収入が多くなくてもそれほど不満を感じない。たとえばフィジーやブータンといった世界でも最も貧しいが格差も少ない国の人々のほうが、豊かな国の人々よりも幸福度が高いのだ。ブータンを例に挙げるなら、国民一人当たりのGNI（国民総所得）は二七二〇ドル（約三〇万円）で、日本の一〇分の一にも達しないが、国勢調査では九八％の人々が自分は幸せだと答えている。この事実を見れば、富の獲得だけを目的にした経済制度がいかに無意味かが分かる。つまるところ金で幸せは買えないのだ。

10　人を幸せにしない経済

◆GNPは幸福の尺度にならない

九番目の問題は、現行の資本主義経済が必ずしも人々を幸せにしないことである。平和で裕福な国日本を例に挙げるなら、IMF（国際通貨基金）の発表では、その二〇一七年のGNP（国民総生産）は五三五兆円で、これはアメリカと中国に次ぐ世界第三位である。これを一人当たりにすると、世界二三位の四二二万円となる。もし富が人を幸せにするなら、日本人は幸福なはずである。

ところが国連が毎年行っている幸福度調査では、日本は所得や平均寿命が高いのに、二〇一七年には五一位、二〇一八年には五四位、そして二〇一九年には五八位と毎年ランクを下げている。これは先進国では最低で、コロンビアやウズベキスタンなどの途上国以下である。要するに日本は不幸な国であり、そして毎年さらに不幸になり続けているのだ。幸福度が低くなった原因は、日本社会は人生の選択度、健康寿命、寛容さ、相互の信頼、社会への貢献といった点が低いためとされている。日本の学者の多くは、これは聞き取り調査の方法のせいで、日本人は本音を言わないこと、謙虚なこと、物事を悲観的に見る傾向があること等で不利になっているとするが、それは見苦しい言い訳である。それではなぜ二〇一二年に四四位だったランクが急速に落ち込み続けているのかを説明できないだろう。また国際NGOのNew Economic Foundationが二〇〇六年に発表した幸福度調査でも、日本は一七八カ国のうちの九五位に留まっている。このことは、豊かさが必ずしも幸せに繋がらないことを示しているのだ。

アメリカとフランスで十六年間暮らした私の体験から見ても、日本が不幸な国であることは否定しようがない。

例を挙げるなら、過労死が問題となるような過酷な労働慣行が残っていること、相対的貧困率が世界ワースト一四位の一五・七％に上りしかも毎年増加していること、男女格差が世界一五三カ国中一二一位（世界経済フォーラム「ジェンダー・ギャップ指数二〇一九年版」）という恥ずべきレベルに留まっていること、本来楽しいはずの青春を受験勉強が奪っていること、先進国で唯一若者の死因の第一位が自殺で、女性の自殺者の数が世界で三番目に多いこと、引きこもりの若者や高齢者が増え続けていること、健全な人権意識が定着していないためセクハラ、パワハラ、マタハラが多発していること、学校でのいじめや家庭での子供の虐待が増え、国連からも注意されていること等、日本を不幸な国と見る根拠は枚挙にいとまがない。地域社会が崩壊し、宗教の影響力が弱まったため、人々が孤独に悩んでいることも無関係ではない。それに加えて経済成長の鈍化が、金儲けがすべてと考える多くの日本人をさらに不幸にしているのだ。

要するに客観的に見て日本人は不幸なのだ。政府やメディアも、一般の人々も、そして本来理想に燃え社会を批判的に見るはずの若者も、皆が自己欺瞞（ぎまん）に陥り、この事実に正面から向き合おうとしない。我々を幸せにする第一歩は、日本人が不幸だという事実を認めることである。

国民を幸せにするのが最大の目的だとするなら、日本の政治も経済も明らかに失敗している。人を幸せにするには、富裕層や企業をさらに豊かにし経済格差を広げる経済成長ではなく、日本国憲法第二五条が定めた「健康で文化的な最低限度の生活を営む権利」を全国民に保障すべきなのだ。日本のGNPは、富の配分を公平に行えば、すでに全国民に健康で文化的な生活を保障できる額に達している。それを実行しない日本の政治と経済は、人々の幸せへの願いを裏切っているのだ。

◆かつて日本人は幸せだった

忘れてはならないのは、かつて日本人はもっと幸せな民族だったことである。私が青春期を過ごした高度成長期以前の日本人は、貧しくはあっても金持ちも少なかったので皆が中流意識を持ち、将来への夢を抱き、受験勉強もなく、家族に囲まれ、近所付き合いもあり、今より幸せだったと思われる。

もっと遡(さかのぼ)って太平の世が続いた江戸時代には、士農工商の身分制度に縛られ、過酷な年貢の取り立てや飢饉(ききん)に苦しむ農民もいたが、当時の資料を見ると、平均的には大半の人が人生をとことん楽しんでいたのだ。幕府や諸藩の大名は年貢の減少を恐れて遊びを禁止しようとしたが、庶民はその裏をかいて、宗教的な休日だった「神休み」を「人休み」に変えて、遊ぶ機会にしている。そうした人休みは、文政元年（一八一八年）には、ある地域では年間六十六日にも上ったという記録もある（「週刊朝日百科」〝日本の歴史〟八〇巻「祭りと休み日・若者組と隠居」）。また祭りやお伊勢参り、富士登山などに代表される宗教行事は、庶民の遊びのエネルギーのはけ口になっていた。

たとえば天保元年（一八三〇年）には、当時の人口の一割に当たる二二三万人がお伊勢参りをしているが、それが実際には観光旅行だったことは、十返舎一九(じっぺんしゃいっく)の『東海道中膝栗毛』を読めば明白である。江戸などの大都会では、芝居や相撲、そして花見、月見などの野遊びが大流行し、江戸八百八町で稽古ごとの師匠のいない町はないといわれるほど遊芸が盛んだった。貧しいとされた農民も、大金をかけて村芝居や勧進相撲を開き、農閑期にはひと月もの湯治をするのが当たり前だった。そしてこのゆとりと遊びが、歌舞伎や浮世絵、工芸などの世界に誇る江戸文化を生んだのだ。この時代に庶民がこれほど人生を楽しんでいた民族が他にあったろうか。

当時の人々がそれほど不幸ではなかった今一つの証拠は、江戸時代を終わらせた明治維新は、支配階級に属する下級武士が西洋列強の植民地主義に危機感を募らせて起こした政変で、十八世紀末から十九世紀にかけてヨーロッパで多発した、圧政と貧困に苦しんだ民衆がやむに已(や)まれず起こした民衆革命ではなかったことだ。当時の日本の庶民は、革命を起こさなければならないほど不幸ではなく、明治維新に対しても、冷淡な態度をとっていたのだ。残念ながら明治時代になると、富国強兵をスローガンとした政府によって、教育を通じて勤労が美徳とされ、日本人は遊びを忘れ不幸な働きアリになってしまった。

11　資本主義の崩壊

◆資本主義に代わる経済理論の不在

第十の、そしておそらく最大の問題点は、資本主義に代わる経済理論が存在しないことである。国も経済人も経済学者も、現行の資本主義が行き詰まっていることを知りながら、現実的な代替案が提示できないため、小手先の対応で人々の目を現実からそらし、時間稼ぎをしている。しかしそうした欺瞞がいつまでも続くわけはなく、遅かれ早かれ一般の人々も、現行の資本主義経済が立ちゆかなくなることに気付く時が来るのだ。そのため資本主義に絶望し、社会主義やマルクス理論に基づく共産主義といった、かつて資本主義と対峙した経済理論を懐かしむ声も出ている。しかし歴史が証明したように社会主義は個人の自由を制約し、非能率的な経済運営を生み出す可能性が高いのだ。これらの古い理念が人々の信頼を失った今、新たな経済理論がどうしても必要となっている。

もし我々が五十年前にローマクラブの賢明な忠告を真面目に受け止め、環境破壊をはじめとする資本主義経済の弊害を是正する適切な方策を採用していれば、現行の資本主義経済は今でも順調に発展し、新たな経済理論の必要もなかったかも知れない。残念ながら人類は忠告を無視し、その結果経済を蝕（むしば）む病は今や鴻毛（こうもう）に入り、痛みを伴う大きな手術なしには回復できなくなったのだ。将来の世代を苦境に追い込む現行の資本主義は、もはや終焉させるしかない。今や現代人が総懺悔（ざんげ）すべき時が来たのだ。

それでもまだ希望は残っている。それが第二章で触れる創造経済（Creative Economy）の構築による資本主義の再生である。

◆創造経済論

前にも述べたように、私は財産の私有化と自由な競争に基づく資本主義経済は、人類史上最も効率的な経済の仕組みだと考えている。従ってもし人々が自制心を持って、環境破壊に歯止めがかかるまでは経済成長の鈍化または低下をやむを得ないものとして受け入れ、また金儲けや贅沢といった次元の低い目的でなく、人類社会の進歩、人々の幸せと健康の向上といった高い理念に基づいて経済活動を行えば、今ある資本主義制度は、そのまま来るべき創造経済の担い手になると信じている。それは企業でいえば、会社や株主の利益ではなく、従業員と消費者の利益を優先することと同じである。

経済格差を最小限に抑える措置も必要である。そして何よりも、後の世代のために地球環境の保護と資源の温存を重視するのだ。それが私が唱える創造経済である。それは人々の幸せと人類社会の向上を目的とした、成熟した資本主義ともいえるだろう。制度を変えるのではなく、我々の意識を変えるのだ。

◆必要なのは「人のため」という意識

もし人が自分のことだけでなく、子供や孫、そして他の人々の幸せを考え、人類が末永く存続することの重要性に気付けば、誰でも単なる金儲け以上の理想を持つはずである。

二十世紀初めに活躍したドイツの社会学者マックス・ウェーバーは、資本主義のことを宗教改革を実現したプロテスタントの高い倫理観に支えられた市民経済だと主張した。日本でも江戸時代に活躍した近江(おうみ)商人は、「先義後利栄（義理人情を第一とすれば、利益は上がり商売は繁盛する）」を合言葉に商売を成功させた。明治時代の実業家で、日本の資本主義の父とも言われる渋沢栄一は、「私益を追わず公益を図る」を生涯座右の言葉としていた。パナソニックの創立者松下幸之助は、その前身である松下電器株式会社の経営理念として、「産業人タルノ本分ニ徹シ、社会生活ノ改善ト向上ヲ図リ、世界文化ノ進展ニ寄与センコトヲ期待ス」と述べ、また繁栄によって平和と幸福を目指すＰＨＰ研究所を設立している。倫理や理想と商売とは両立するのだ。

　また消費者が物を買う時、その製品が本当に生活の質を向上させるか、そしてその生産者が社会貢献や環境の改善に協力しているかなどを購買の要件とすれば、良心的な企業は生き残り、利潤を追求するだけの強欲企業は消えてゆくだろう。要は消費者と経営者の教育と啓蒙で、人々の幸せと人類の永続こそが経済の目的であることを全員に再認識させるのだ。

　私はそうした意識の変換が容易にできるとは考えていない。特に金持ちや既得権益で肥え太った利己的な人々と、彼らの支持で権力を握った政治家たちから強い反発があるだろう。また企業やそこで働く人々、そして商売を営む人々にとっても、たとえ短期間でも経済成長を断念するのはきわめて辛いことだろう。しかし人類にとって、環境・資源問題が解決されない限り、成長を断念する以外には選択肢はないのだ。それは我々が経済成長を当面諦めるか、それとも子孫に壊れた地球を相続させるかの二者択一なのだ。

　アメリカの科学雑誌「原子力科学者会報」が、午前零時を世界終末の時とし、定期的に委員会を開いて今それまでどのくらいの時間が残っているかを発表する世界終末時計は、一時東西冷戦の終結で十七分まで下がったが、最近のトランプ大統領によるパリ協定脱退や、北朝鮮による核兵器開発、そして温暖化によって、現在世界滅亡まであと百秒と過去最短になっている。

第二章

創造経済（Creative Economy）と資本主義の再生

行き詰まった今日の利己的な資本主義に代わり、人々を幸せにし人類の未来に貢献する、成熟した資本主義ともいうべき創造経済の導入を提案するとともに、創造経済を可能とする新たな六本の柱を解説する。

1 創造経済への転換

◆無軌道な現行資本主義経済に未来はない

現行の資本主義が環境破壊や資源の浪費を続け、人類の存続を危険に晒すならば、早急に制度を変えねばならない。私は弾劾する。無謀な経済成長政策を主導してきた政治家と経済人、経済学者を。そしてそれを容認してきた私自身を含めすべての大人たちを。脈々と続く人類の歴史の中でわずか二、三代しか占めない我々現代人に、なんで環境を破壊し、再生不可能な資源を枯渇させ、未来の世代を苦境に追い込む権利があるのか。金儲けにのめり込み、人類の将来を考えもしない現代人の傲慢さと無責任さには、表現すべき言葉もない。我々世代は、長い人類の歴史で最悪、最低の利己主義者として、未来の世代に厳しく非難されるだろう。我々は恥を知るべきだ。今こそ反省し、豊かな環境と貴重な自然資源を後世に残すために、放蕩経済を節約経済に切り替えるべきである。

そのために残された可能な選択肢が、富と消費の追求に代わり、人々に生きがいと人類の永続に貢献する機会を与えることを主眼とした、創造経済である。経済制度の転換は、その過程において経済的、社会的な混乱が起きるだろう。しかし温暖化などにより人類が存亡の際（きわ）に立たされる可能性を考えれば、それは避けて通れない道である。それは金に目がくらんで地球をさんざん収奪した現代人の、贖罪（しょくざい）の時である。

創造経済の構築に当たって我々がまず最初に直面する問題は、これまで抑圧され、貧しい暮らしを強いられてきた開発途上国の人たちにどう対応するかである。先進国は、彼らもまた、自分たちと同じように良い生活を求める権利があることを無視してきた。彼らに対する経済援助も、多くの場合、開発途上国の人々の生活水準の向上ではなく、先進国の市場拡大のための戦略の一環として行われてきた。しかしこれまで経済成長の恩恵を独占してきた先進国も、今や経済の面で新興国に追い上げられ、追い越されようとしている。環境の破壊や資源の枯渇といった問題は、経済発展が主として先進国に限られていた間は緩慢にしか進行せず、従って実際の脅威になるのはまだ遠い先のことだと考えられていた。しかし今や中国やインド、インドネシア、ブラジルなどの巨大な人口を持つ新興国が経済活動を活発化し、消費を急速に拡大したことから、今そこにある緊急の問題になったのだ。

◆人類にその時間が残されているか

もし先進国がもっと早く開発途上国や新興国の経済の急速な拡大の可能性を予測していたら、今までの大量生産、大量消費の経済を改め、経済の本来の姿である節約経済に切り替えていただろう。しかし先進諸国は、経済の無軌道な成長と必要以上の贅沢という悪しき先例を作ってしまい、今や新興国や開発途上国が、先進国と同じモデルを目指すのを抑えられなくなってしまった。これはあくまで先進諸国の責任である。今こそ我々は、これまでの「成長がすべて」という経済政策の過ちを認め、新興国や開発途上国に同じ道を取らないよう呼びかけるべきである。

しかしそれは、自らの経済の在り方を根本から切り替え、率先して節約を実践し、開発途上国に発展の余地を残すために、必要なら自国の経済のマイナス成長すら自発的に受け入れることを意味する。それが先進国にできる唯一の罪滅ぼしなのだ。

そうした抑制的な経済政策を取るには、各国の指導者や経済人に経済の量的発展を、質的な発展に切り替えるよう呼びかけるしかない。しかし成長依存症に取りつかれた人々がそうした説得を受け入れる見込みは、残念ながら低い。

特に中国、インドといった新興国は、近年の経済面での成功を中断することを、まず受け入れないだろう。従って事態はもはや手遅れなのかもしれない。それに先進国の経済成長を抑制し、人々に節約を強要したら、留守番の子供がおもちゃを取り上げられ、急に寂しさを思い出すように、富と消費という逃避の道をふさがれた人々が、死の現実の前に自己破壊に落ち込む危険があるのだ。このことは一九二九年に始まった世界大恐慌による人々の精神的な崩壊によって、ナチスや日本の軍国主義が台頭した歴史を見てもあり得ることである。従って成長を至上とする政策の変更は、時間をかけて人々の理解を深め、意識を変えることから始めなければならない。

問題は、人類にその時間が残されているかどうかである。もし時間切れとなれば、後は母なる地球の破壊と人類の絶滅に向かって、戻ることのできない下り坂を転がり落ちるしかない。それを防ぐためにも、一刻も早く創造経済を構築し、現行の資本主義がもたらす弊害をなくすことで、資本主義を再生させなければならないのだ。

2 足るを知らざるは貧し

◇安定的な経済の勧め

しかし今さら嘆いても事態は変わらない。実際には先進国においても、いまだに最低水準を割った生活を強いられている人がいる以上、彼らの救済のための手当ては急務である。また病気の撲滅、教育の充実、そして人類の将来のための宇宙開発や科学研究に必要な資金を確保する必要もある。それと並行して経済的な不平等を是正し、人々の不満を解消しなければならない。そうなれば不必要な富をため込んだ富裕層や、過剰な贅沢をしている人々に対する課税を厳しくせざるを得ないだろう。それは多くの反発を生む政策だ。それでも富の公平な配分が行われれば、先進国ではすべての人が健康で文化的な必要最低限の生活を維持できることははっきりしている以上、実行するしか選択肢はない。

今必要なのは、経済の無軌道な成長ではなく、安定的な経済の運営であり、所得の平準化と雇用の確保であり、節約と自然環境の保護である。現行の資本主義にこだわる人々は、こうした主張を社会主義的だとか、経済の自由を束縛するものだと非難するかもしれない。しかし政府の干渉や規制のない自由な経済など、今日の世界のどこに存在するのだろうか。自然環境の悪化によって、継続的な経済成長がもはや不可能なばかりか、人類の存続を脅かすことが自明の理となった以上、新たな経済理念に基づく抑制的な経済政策が必要なことは、否定しようのない現実なのである。

◆富以上に価値のあるもの

この当たり前のことを人々に受け入れてもらうのに障害となるのが、富の蓄積と浪費が、死の現実からの逃避の手段となっている事実に加え、富が人の価値を決めるという、今や世界中に広がった誤った考え方である。キリスト教や仏教の教えは富の無軌道な蓄積を悪徳としたが、そこまでいかないまでも、この世には富以上に尊敬と憧れを集めるものが多数あることを、人々に理解してもらう必要がある。

たとえばそれは、創造の喜びとか思いやりに満ちた社会の実現、そして第三章で述べる「永遠志向社会（歴史社会）」の構築である。我々は早急に、人類を死の宿命から救い出し、富以外のものを成功の基準とする道を開拓しなければならない。それに失敗すれば、人々は富を求め続け、その過程で自然を破壊し、その結果我々世代は、後世から利己的な欲望に走って人類の生存を脅かした世代として、厳しく非難されるのだ。今こそ「足るを知らざれば富むといえども貧し」という「仏遺教経（仏陀最後の教え――「遺教」ともいう）」の言葉を噛みしめるべきである。

3　創造経済とは何か

◆質の向上を目指す経済

そうした中で、将来に向け明るい見通しを提供する経済の仕組みが「創造経済」である。創造経済という理念は、環境を破壊する成長経済の暴走を憂える一部の良心的な経済学者が唱える、経済の低成長あるいはマイナス成長を目的とした提案とは、必ずしも同じではない。そのモットーは「量的な成長にこだわらず、質の向上を目指す経済」である。

消費の抑制は、戦時のように、人々の関心が経済以外に向けられている時以外は、猛反発を招くだろう。

かつて一枚岩だと思われたソビエトをはじめとする共産主義諸国が崩壊したのも、消費財の不足が最大の原因だった。それは消費の抑制がいかに難かしいかを示している。無駄を排し資源のより有効な活用を図るのは当然として、痛みに苦しむがん患者がモルヒネを手放せないのを非難できないように、死を忘却するため消費に固執する人々に代替案を示さないで突き放すことはできないのだ。

問題は、消費の善し悪しにあるのではなく、環境の破壊と資源の枯渇を前にして、好むと好まざるとを問わず、野放しの消費経済の継続は不可能なばかりか、道義的にも許されないことである。従って創造経済では、消費以外の生きがいを提供することで、消費の抑制がもたらす人々の苦痛と不満を最小限に抑えるのだ。そしてそれが創造である。

◆創造経済と現行の資本経済の相違点

創造（creation）とは、神が人間を含む万物を無から作り出したことを意味する宗教的な言葉である。それが今日では、新しいものを創り出す行為全部を意味するようになった。一般的に使われている創造産業という言葉は、芸術文化に関連する産業の活動を指すが、これはイギリスが創造産業を提唱し成果を上げたことから、国際的に定着した用語である。

それに対して本書でいう創造経済はもっと意味が広く、芸術創造産業以外にも、発明発見や創造的な産品の製造、イノベーション、奉仕活動など、これまで存在しなかったものを作り出し、あるいは人を幸せにする新たな活動すべてを包含する。人類の知恵が増し、より良い生活を求めるようになると、人々はいろいろ工夫をして新しい道具や住居、衣服、装飾品、社会の仕組み、そして絵画や歌や踊りなどを生み出すようになり、その積み重ねが文化となり、文明を築いてきた。それは創造経済そのものであり、有史以前から存在したのだ。

それに対し資本主義経済は、金銭のやり取り、特に金儲けと消費拡大を前提にした仕組みである。今日の資本主義社会で経済活動の中核を占めているのは、営利の創出を主たる目的とした企業と呼ばれる組織体で、私有企業が大半を占める。その企業も当初は中小企業が中心だったが、今日では、合併や買収によって巨大化した大企業が主流となっている。ＧＡＦＡ（Google, Apple, Facebook, Amazon）のようにその力は絶大で、国ですら手が出せない独立帝国を形成している。それらの巨大組織が私的な利益を求めて活動することから、中小企業はさらに圧迫され、あるいは吸収され、資本主義最大の利点とされる自由な競争は機能しなくなる。

◆社会の役に立つことが賞揚される社会に

こうした企業の在り方について人々の間で疑問が生じ、企業の社会的責任（Corporate Social Responsibility: ＣＳＲ）が唱えられ、企業に利益追求だけでなく、環境への配慮、社会への貢献、法の順守等を求める声が高まってきた。アメリカでも「上場企業会計改革及び投資家保護法（ＳＯＸ法）」が制定され、あるいはＧＡＦＡの活動を規制する法案が検討されるなど、企業の暴走を抑える動きも出始めている。しかし企業自体が利潤を追求するだけの組織に留まる限り、その弊害の緩和は難しいだろう。たとえば多くの企業は、計画的陳腐化といって製品の寿命を人為的に短縮し、短期間で使えなくなる製品を作ることで、買い替え需要を引き起こすことを当たり前のように実施している。また意識的に修理が難しい商品を作ることで、高額な修理代で儲けることも行われている。これらの犯罪的ともいえる行為が大手を振って横行し、資源の不足や環境破壊を加速させている。

創造経済は、資本を投下し製品を製造・販売し、それで得た利益を再投資するという意味では、形態的には現行の資本主義経済とあまり変わるものではない。商取引も金融機関も会社組織も存続する。両者が根本的に違うのは、形態ではなく活動の目的であり、当事者の意識である。現行の資本主義の目的は収益を上げることであるのに対し、創造経済の主たる目的は、創造によって人を幸せにし、また人類社会の役に立つ物を作り出し、人々に届けることである。要は制度の違いではなく動機の違いである。

個人を富ますのではなく、人類全体の利益に配慮するという創造経済の考えは、一見個人的な富の追求を否定し平等を唱えた社会主義に類似して見えるかもしれない。しかし創造経済が目指しているのは、財産や生産手段の私有化を前提とした資本主義の仕組みが、経済的には最も効率的かつ生産的であることを認めた上で、経済の第一目的を、富の追求ではなく、人々に生きがいを与え、人類全体の利益になる創造に置き換えることである。それは金持ちが憧れの的になるのではなく、創造を通じて人類社会に何らかの貢献をした人が尊敬される社会である。

そこでは、単なる手段に過ぎない経済が人を支配するのではなく、人が幸せと人類の永続のために経済を利用するのだ。事業の継続には利潤が必要だが、それは手段であって、目的ではなくなる。しかし金儲けがもたらす興奮の味を知ってしまった者に、この道理を分からせるのは容易なことではないだろう。

◇労働は創造に昇華する

創造経済が現行の資本主義経済と異なる今一つの要素は、労働の質的変化である。今日最も典型的な生産方式は、できる限り労働者を機械に置き換え、それに合わせて労働者の作業を画一化、単純化するオートメーション化である。この方式は、人件費を節約し、製品の質を均質化し、安価な商品を大量に生産する上で大きな効果がある。しかしそれは労働を単純化し、仕事から創造的要素を奪い、厳格に管理された生産過程の一部としてしまう。後述するように、ベーシック・インカム（ＢＩ）制度の導入によって貧困が根絶された社会では、そうした非人間的な単純作業に人を集めるのは難しくなる。人々は、賃金のための意に沿わない労働に代わり、人生に意義を与え、生きがいを作り出す創造的な仕事を選ぶからだ。

労働と創造の違いは、工場でのオートメーション化された作業とオーケストラとを比べれば良く分かる。オートメーション化された工場での作業は自動化された生産過程の一部で、そこには労働者の個性なり創造意欲が入り込む余地はなく、自分が関わっている産物が世のため人のためになっているという自覚がない限り、満足感もない。労働者は機械の一部と化すのだ。

一方オーケストラも、指揮者によって厳格に管理された集団的作業であるが、それは同時に個々の演奏者の個性と美意識、そして創造意欲の発露でもある。彼らは自分のパートだけでなく曲全体を把握し、自分の美的感覚に従い演奏するのだ。彼らは有限の自己を克服し、無限の生命を得んがために苦闘する芸術家である。彼らの職務は厳しく苦しいが、多くの工場労働者につきものの倦怠感はない。

このような創造の追求は、創造経済においては抑えることのできない流れとなり、芸術家だけではなく、科学者や職人などあらゆる分野の人々を巻き込んで創造社会を構築する。賃金を得るための労働は廃(すた)れ、多くの人が自らの人生に意義を与える生きがいを求めるのだ。そのことは、仮に環境問題や資源の枯渇問題がなかったとしても、より良い世界を創るためには、創造経済への移行が望ましいことを意味する。

4　変わる企業の在り方

◆人類に貢献する企業

資本主義経済の中で最も重要な組織である企業という仕組みは、創造経済でも経済活動の中心的な担い手であり続けるだろう。違いがあるとすれば、それが単なる金儲けを目的とした組織から、従業員に創造の機会を提供する場に変わることである。また企業の評価に当たっては、収益が多いかどうかだけでなく、いかに人々の幸せや人類の存続に貢献するかが勘案される。環境保全や地域社会に貢献しているかどうかも評価されるだろう。

こうして企業は、金儲けの組織から創造と人類社会への貢献の場へと変質する。そこで働く人は、もはや雇い主の金儲けに奉仕するのではなく、理想と創造を追求するためのチームの一員として努力するのだ。

利潤追求の夢を捨てきれない人もいるだろうが、これまでのような無秩序な経済成長は、これからは続けられないことは明白である。経済成長の自制は、時として経済の停滞を引き起こすかもしれないが、それでも優良企業は存続する。創造と人類社会への貢献を目的とする創造経済での企業にとっては、一時的な収入の減少は、我慢の時にしか過ぎない。それは不愉快なことではあるが、必ずしも倒産には繋がらないのだ。なぜなら創造経済では、国も金融機関も投資家も、利潤率が低くても社会に役立つ仕事をする優良企業を優先的に支えるからだ。そうしなければ、彼らは社会から厳しい批判を浴びるだろう。

また優良レストランに星をつけるミシュラン（Michelin）や、JAS（日本農林規格）のような公平な評価システムがあれば、購買者もそうした基準を参考にするので、従業員に創造の場を提供し良質な製品を生み出す企業は、営業の面でも旧弊な強欲企業よりも優位に立つだろう。そして毎年優良企業が、公的な審査委員会による審査と消費者の投票を経て選ばれ、ランク付けがされる。一方、賃金のためだけではなく、自らの創造のために働く従業員にとっても、利潤の低下から生じる賃金の多少の減額は、本章で触れるベーシック・インカム制度の導入によって生活が保障されることもあり、余分な贅沢を一時的に我慢する程度の意味しかなくなる。

◆健全で安定的なシステム

現行の資本主義の場合、経済は富と消費の絶えざる拡大を追求するため、人々が必要な物をすべて入手したからといって、需要がなくなることはない。富と消費に取りつかれた消費者は、必要とは無関係に無限に金を稼ぎ、無限に消費するのだ。これが資本主義がもたらした急激な経済成長の理由である。

それに対して創造経済は、創造とそれを通じての生きがいの達成と人類への貢献を目指すものである。特にベーシック・インカム制度の導入もあって、人々は今ほど収入の増加にはこだわらなくなる。従って経済の量的な拡大と富の蓄積はその重要性を減じ、経済は成長を目的とした仕組みから、健全で安定的な、しかも節約を目指したシステムに変質する。それは金で買えない幸せが山ほどあること、そして収入の多寡は人の価値とは無関係なことが理解された社会である。しかしそうした経済で、関係者がただ漫然と創造に専念していれば、利潤が生まれない停滞した経済に陥りかねないことは確かである。それでは経済は、人類の発展に貢献できなくなってしまう。

この問題の解決を担うのが、以下で述べる創造経済の新たな六本柱である。

5　創造経済を支える新たな六本柱

◆創造経済は必然の帰結

今日においては、ここで言う創造経済が実際に実現するかどうか、まだ疑問を持つ人も多いだろう。創造経済という理念に接した人々が最初に持つであろう疑問は、この新たな経済が、民間企業の継続と発展を維持するだけの利潤を生み出せるかどうかだろう。

創造経済という概念は、私が一九八二年に出版した『永遠志向』で提示したものだが、そのころの日本はバブル経済に酔いしれ、経済の改革などに関心を持つ人はなく、またその可能性を示すような経済理論や経済政策も存在していなかった。このため提案者である私自身が、創造経済が経済活動を維持するだけの利潤を生み出すことができるかどうか、分からなかったのだ。当時、文化庁芸術課長という公職にあったこともあり、果たして立場上このような時代の遥か先を行き、しかもその実現性の保証がない思想を発表することが適切かどうかも気にかかった。そこで『永遠志向』の重版を断念し、私の死後遺作として英語で出版することとし、その旨を遺言状にしたためた。

しかし二十一世紀に入り、私の心配を払拭(ふっしょく)する状況が発生した。それが以下の項で述べる、生産の中心が消費財から財が本来意味する宝物の生産に移ることであり、ハイテク産業やＡＩ技術の進歩であり、芸術創造産業の拡大であり、非営利団体の成長であり、そしてベーシック・インカム制度が導入される可能性が高まったことだ。従来の企業活動に加えて、これらの新たな六本柱を導入することによって、私が提唱する創造経済が単なる経済理論の一つではなく、実現可能で、しかも資本主義に新たな命を与え、第三章で述べる「永遠志向社会（歴史社会）」の構築と究極の幸せに対応できる、最良かつ唯一の経済制度であることが、確実になったのだ。それは今日崩壊に直面している資本主義経済の再生への道でもある。

もちろんこうした産業構造の抜本的な改革は、その過程において多くの企業を苦境に追い込み、一時的には失業者を生み出し、人々の不満を高めるだろう。しかし我々には選択の余地はないのだ。それは経済の改革か文明の崩壊かの二者択一なのである。人類の将来を考え、人々が忍耐をもって生みの苦しみに耐えてくれることを願うのみである。

◆経済は「目的」ではなく「手段」

この創造経済論が経済学の立場から見て正しいかどうかは、議論の余地があるだろう。イギリスの経済学者ケインズは、公共事業や金融緩和策などによって人為的な需要を作り出すことで、不況を克服し経済を成長させることができると主張した。第二次大戦後、日本を含む先進諸国は、ケインズの理論に基づき経済成長政策を導入し、空前の経済発展を達成した。しかしそれは、人々に無限の経済成長が可能だという幻想を植えつけ、多くの人々を金の亡者にした。しかもこの理論は、経済成長がもたらす深刻な問題を考慮に入れていなかった。その結果、放漫財政、格差の拡大、環境破壊、資源の枯渇、拝金主義の蔓延、道徳的退廃といった今日見られる問題を引き起こしたのだ。

特に環境の破壊は、人類の滅亡すら引き起こしかねない緊急の課題である。経済学的にはケインズ理論は正しかったかもしれないが、政治的、社会的、道義的には問題があったのだ。それに対し創造経済論は、行き過ぎた経済成長とそれがもたらす環境の破壊などの好ましくない傾向に反対し、代わりに人々を幸せにし、環境を守り、人類の未来にも貢献する新たな経済を提案するものである。もう金儲け話ばかりするのは止めようと言っているのだ。

経済は人類にとっては目的ではなく手段に過ぎない。それは必ずしも人類文明にとって最も重要な要素でもない。その経済が資本主義によって過大評価され、人の尊厳、相互の理解、愛、正義、幸せ、そしてなかんずく人類の種としての存続といった大切な目標を押しのけ、代わりにＧＮＰや景気、儲けや株価などが、すべてに優先する基準となったのだ。政治家が、社会の安寧という本来の職務を忘れ、経済成長や景気のことばかり語り、経済紙でもない新聞やテレビなどのメディアが、株価や経済関連の出来事をあたかも重大事のようにニュースのトップに持ってくるのを見ると、どこかが間違っていると感じるのだ。

第三章で述べるように、人類にとっては経済よりはるかに重要な事柄が山ほどある。私が本書で経済問題を最初に持ってきたのは、それが大多数の現代人にとって最大の関心事であるからに過ぎない。本書は富の獲得や消費の拡大だけを重視しがちな経済学とは、距離を置いた立場から書かれているのだ。

6　第一の柱：消費財の生産から良質な耐久製品の創造へ

◆創造の場としての企業

創造経済では、多くの人が賃金が安くても心が満たされる創造的活動を選ぶだろう。買い手もまた、大量生産の安物ではなく、個性を持ち丁寧に作られた高品質な商品を選ぶのだ。従って高価で良心的な商品が主流となり、製作者は、芸術家と同じく自分の作品に署名をする。それはもはや消費財や商品ではなく、財という言葉が本来意味した宝物になるのだ。そして宝物は世襲の財産として世代を超えて受け継がれ、文化となって人類文明を豊かにする。それは買い手だけでなく、創造者である作り手も幸せにする経済である。

こうして企業は、金儲けのための組織から創造の場へと姿を変える。それは計画的陳腐化などの犯罪的行為とは無縁な、良心的な生産組織である。

創造経済での企業は、耐久性に優れた高品質な製品の製造を原則とすべきである。何百年も持つ家を建て、衣服や家具も何世代にもわたって修理しながら使うのだ。十年も持たない大衆車ではなく、何十年も持つ車を作るのだ。消費財ではなく、次代に引き継がれる宝物と資産を生み出すのだ。それは資源の枯渇と環境破壊を防ぐ節約経済でもある。使い捨ての安物商品は、環境破壊の元凶である。たとえばプラスチックは安価な商品を生み出すが、それは貴重な石油資源を使い、しかもマイクロプラスチックとなって海洋生物に取り込まれ、多くの種を絶滅の危機に追い込んでいる。それは環境の面からいえば、ひどく高くついているのだ。同様にコンビニで売っているビニール傘や、安物の衣類は長持ちせず、結局使い捨てにされる。それは「安物買いの銭失い」だけでなく、環境も破壊することになる。たとえばTシャツ一着作るのには、綿花を育て、製造過程での洗浄等で、二七〇〇リットルもの貴重な水を使うのだ。

◆良いものを長く使うという文化

私はアンティークを集めているが、どのような豪華な新製品でも、時代を経たものだけが持つ重厚さと奥深さには足元にも及ばない。しかもそれは、時を経るにつれて価値が上がるのだ。

私はまた、四十～五十年前にパリで仕立てた洋服やミラノやロンドンで買った鞄と雨傘、そして父から引き継ぎ、百年以上経つ和服を今でも愛用している。それは今日でも新品同様の状態にある。良い物は長持ちするのだ。自動車でもランボルギーニやロールスロイスなどの高級車は、一般的に年代物の中古車のほうが新車より高い場合が多いとされている。初期投資は多少高くつくが、結果としては割が良く、しかも資源の節約になる。

おしゃれで知られるパリジェンヌのワードローブには、衣服は大抵一〇着程度しか入っていないといわれる。私がユネスコ本部で人事官をしていた当時、私の二人の秘書は、普段は同じ服をコンビネーションを変えて着回ししていた。それが大人のおしゃれであり、その人の個性となり魅力となるのだ。流行などに捕らわれず、良質で自分の美意識に合ったものを厳選し、長く使う態度こそが創造経済時代のおしゃれである。

幸い日本は、古くから優れた工芸技術と美的感覚の伝統を持っている。教育と訓練によって個性と技術を併せ持った人材を養成し、ハイテクを活用し、マーケティングを工夫すれば、世界に冠たる逸品を作り出し、それを世界中に高値で売り込めるだろう。いずれにせよ大量生産、大量消費の産業分野では、人口の多い新興国には太刀打ちできないだろう。そうした状況下で日本経済が生き残るためには、他国ではできない優れた製品を高値で売る、高価格、少量生産の産業構造に転換すべきである。スイスの高級時計や、フランスやイタリアなどのブランド商品がその良い例である。ブランド商品とは、顧客の商品に対する評価やイメージの集積で信用が高まり、「多少高くてもこの商品にしよう」と思わせる商品であり、主として商品の創造性によって左右される。それは顧客が長年使用することから、資源の節約にも貢献する。

◆新たなジャポニスムの大波を起こす

江戸時代末期に日本を訪れた外国人は、異口同音に日本の工芸技術の水準の高さを称賛している。たとえば初代駐日英国公使のオールコックは、『大君の都――幕末日本滞在記』（岩波文庫）で次のように述べている。

「すべての職人的技術においては、日本人は問題なしにひじょうな優秀さに達している。磁器・青銅製品・絹織り物・漆器・冶金一般や意匠と仕上げの点で精巧な技術をみせている製品にかけては、ヨーロッパの最高の製品に匹敵するのみならず、それぞれの分野においてわれわれが模倣したり、肩を並べることができないような品物を製造することができる、となんのためらいもなしにいえる」

創造経済においては、日本はそうした伝統を再現し、メイド・イン・ジャパンを最高品質の代名詞にすべきだ。ガラクタではなく、世代を超えて珍重される芸術的作品や宝物を世界に供給する国こそ、本当の意味での物づくりの先進国なのだ。明治維新前後に、日本の工芸品がヨーロッパで熱狂的に受け入れられ、ジャポニスムの波が産業だけでなく、芸術や思想にまで大きな影響をもたらしたことを忘れるべきではない。創造経済では、価格ではなく質と創造性の高さが鍵となる。そうした高い技術を復活させることで人々に創造の機会を与え、ネオ・ジャポニスムの大波を世界に普及させるのだ。

◆中小企業などの小規模事業の復権

創造経済が生み出す現象の一つが、中小企業や零細企業、そして個人工房などの小規模な事業に活躍の場が広がることだろう。今日、先進国では、主として大企業による大量生産が経済の中核をなし、資本力や規模の面で劣る中小企業は、片隅に追いやられ、あるいは大企業に吸収合併されている。その結果多くの商品は画一化され、個性のない使い捨ての消費財になってしまった。しかし、高品質で創造的な耐久製品の生産には、優れた美的感覚を備えた芸術家や高度の技能を持つ熟練の職人が必要である。従って企業の規模や資本の多寡ではなく、人材の確保が事業の成否を決めることとなる。その結果、小規模な事業が大企業に負けない役割を果たすだろう。それは生産活動の創造化であり、量の経済から質の経済に転換することである。

質と創造性を重視した経済を構築するのは容易なことではなく、技術教育や芸術教育を強化し、伝統工芸を復活させ、イノベーション力を持つ人材を養成し、マイスター（親方）制度を導入することが必要である。これは、末永く賞美される人類文化を創出させるために欠かすことのできない過程である。資源を浪費せず、環境にも優しく、また人類文化を豊かにする芸術的作品と、良質で創造的な耐久製品の製造が、創造経済の軸となるのだ。

7　第二の柱：ハイテク（高度技術）産業

◆ハイテク技術大国の復権は急務

高品質で長持ちするお宝製品の生産と並んで創造経済の牽引力となるのが、コンピューター、バイオテクノロジー、ロボット工学などの高度な先端技術を中心としたハイテク産業だ。その中でも重要なのが、情報の取得、加工、保有、伝達を行う情報テクノロジー（IT）と、これまで人間が行ってきた思考や仕事を、コンピューターが代わりに行う人工知能（AI）である。それは人の知能が生み出す典型的な創造産業でもある。

今日ハイテク産業に求められる第一の責務は、経済発展への貢献もさることながら、今人類が直面している最大の問題の一つである環境への負担を軽減し、資源の有効利用を促進することである。経済産業省では、「省エネ技術戦略」として、排熱を効率的に電力に変える技術や、交通流制御システムなど三九の技術を重要技術と指定するなど、省エネを目指している。地球温暖化が待ったなしの状態にある今日、ハイテク産業に期待するところは大きい。

ハイテク産業は研究開発に多くの投資と知識が必要であり、ハイテクを駆使した製品を製造できることが先進国の証の一つとなっている。平成十九年度に文部科学省が発表した「科学技術白書」によれば、OECD加盟国への輸出にハイテク産業品が占める割合は、日本の場合二〇〇三年で一一・四%となっている。これはアメリカとドイツに次ぐ高さで、日本がハイテク産業の先進国であったことを示している。しかし全輸出額にハイテク産業品の占める比率を見てみると、一九八三年の四・五〇%から、二〇〇四年には一・五一%に落ちており、日本のハイテク産業の国際競争力が以前よりかなり低下していることが窺える。

◆イノベーション力の育成

我が国のハイテク産業の停滞の一因が、研究費の伸び悩みである。OECDによると、二〇一五年の研究開発費は一七・四兆円で、第一位のアメリカの三分の一、第二位の中国の半分である。研究費の伸び悩み以上に問題なのは、基礎科学の軽視である。日本政府はこれまで「科学技術創造立国政策」を展開してきたが、経済成長に直結しそうな実利的なテクノロジー分野に重点を置き、将来の科学分野での人材を育てる基礎研究を軽んじてきた。そのため科学力の目安となる学術論文の数が減っている。また日本の経営者の多くがかつて世界を風靡した物づくりの栄光を忘れることができず、ハイテクの重要性を必ずしも十分に理解していないことと、不毛な受験勉強によって、ＩＴ、ＡＩ時代に対応したイノベーション能力を持った人材が育たないことも、ハイテク産業の成長を妨げている。東洋大学グローバル・イノベーション学研究センターが最近発表したイノベーション力調査では、シンガポールが一位、アメリカは九位、中国は一五位に対して、日本は三二位と大きく水を開けられている(「グローバル・イノベーション・ランキング二〇一九」による)。

日本は、ハードからソフトに移行する世界経済の傾向から取り残され、自動車の完全自動運転技術や遠隔治療といった第五世代の通信システム(５Ｇ)や人工知能(ＡＩ)部門で、独自の開発が期待するほど進んでいないのが実情である。このままでは、これらの分野ではアメリカや中国の技術に頼らなければならなくなる可能性が高い。情報テクノロジー(ＩＴ)の分野でも、アメリカのＧＡＦＡ(Google, Apple, Facebook, Amazon)や中国のＢＡＴＨ(バイドゥ、アリババ、テンセント、ファーウェイ)に独占されている。

絶えず進歩を続けるハイテク産業を育てるには、教育の改革により、新時代に対応できる人材の養成が不可欠である。教育を旧態依然のままにしておいては、日本はハイテク分野での先進国の地位を失いかねないのだ。若者を、受験勉強に代表されるような、所属や組織といった既存のレールに乗せるための画一的で不毛な教育から解放し、知的好奇心とイノベーション力を持った人材を養成するのが急務である。アメリカのＩＴ産業の創世期を支えたのは、グーグルのセルゲイ・ブリン、アップルのスティーブ・ジョブズ、フェイスブックのマーク・ザッカーバーグ、アマゾンのジェフ・ベゾスなど、ほとんどが移民の二世、三世で、しかも普通教育ではなく生徒に自由に学習させるモンテッソーリ教育を受けていたり、あるいは大学を中退していたりするなど、既存の常識の枠に捕らわれない型破りな人物だったのだ。学歴や国籍などに捕らわれず、秀才ではなく天才、鬼才を育て、物づくり経済を維持するために使われてきた才能と資源を、創造活動とハイテク産業に転用するなどの適切な対策を取れば、今からでも環境保護、宇宙産業、先進医療、コンピューター・ソフト、そしてＡＩの分野で、世界をリードすることは、不可能ではない。ハイテクは創造の産物なのだ。

現段階において最もハイテク産業に求められるのは、家電、自動車、船舶、航空機などの省エネの技術であり、化石燃料に代わるバイオマスや太陽光発電などのような温室効果の低いエネルギー源を開発することである。またすでに大気中に排出された温室効果ガスを回収する技術も必要だろう。資源温存のための廃品回収と再利用の強化や、ＬＥＤのような資源の節約に繋がる新たな技術の開発も急務である。

8　第三の柱：人工知能（Artificial Intelligence：ＡＩ）

◆ＡＩは社会をどう変えるか

ＡＩはその概念もまだ確立されておらず、定義もまちまちだが、大雑把にいえばコンピューターと連動させることで人間の知能に近い判断力を持つ機械を作ることと、そうした機械にこれまで人間が行ってきた知的な作業を行わせることを指す。ＡＩを第二の柱であるハイテク産業と切り離して扱うのは、それが人類の在り方を根本から変える可能性が高く、他のハイテクとは次元が異なるからだ。たとえば情報テクノロジー（ＩＴ）では人がコンピューターを使って仕事をするのに対し、ＡＩは、識別や分析、仮説提示、学習、予測によって、コンピューターが自らの判断で人に代わって仕事をする。ＡＩは疑似人類なのだ。その経済に対する影響は、想像をはるかに超えたものになるといわれている。

実際に起きている事例を使って、ＡＩがどのように経済を変えてゆくかを見てみよう。たとえば実用化が間近とされる自動運転装置付きの自動車と、アメリカで急速に普及している、レンタル自動車を電話やインターネットでいつでもどこへでも呼び出せる配車システム（Ｕｂｅｒ）とを組み合わせると、個人が自動車を保有する必要がなくなり、自動車産業や交通産業が大きな影響を受ける可能性がある。あるアメリカの医療関連会社は、網膜検査をはじめ五四種類もの診断を、スマートフォンやインターネットを使って行う遠隔健康診断システムを実施している。これが普及すれば、手術以外の治療や診断の多くは、家に居ながら行えることとなり、僻地の住人や高齢者などの健康管理を飛躍的に改善する一方で、人間ドックや家庭医の需要は減る可能性がある。

またアメリカのさる大手ＩＴ企業が、コンピューターと連動した法律相談を割安な手数料で提供し始めており、刑事事件や経済関連犯罪などの特殊な専門分野を除いては、弁護士や司法書士の需要が減ると考えられている。簿記、会計、文書管理、在庫管理、販売計画、業務案内などは、人間よりもＡＩのほうが正確かつ迅速に行えるため、事務系職員（ホワイトカラー）の多くが失職するという予測も出ている。日本でもすでに大手銀行が三割から四割の大幅な人員削減を検討しているのも、ＡＩと無関係ではない。教育分野でも、教師よりはＡＩのほうが効率的に教えられると考えられており、教師に代わりＡＩが授業を行う可能性も出ている。将棋、囲碁、チェスなどで、ＡＩが人間のトッププロを負かす光景は、今では当たり前になっている。

しかしＡＩの性能が高まることは、危険も伴う。特に中国では、ＡＩを使った監視装置が導入され、すべての人が当局によって監視され、自由と人権、そしてプライバシーが危険に晒されている。それはジョージ・オーウェルがその作品『一九八四年』で描いた統制社会の現実化である。またＡＩを使った兵器の開発も進められ、ＡＩが殺人に使われるのが現実になろうとしている。このため各国代表と国際機関、それに研究者が集まった国連の自立型致死兵器システムに関する国際会議がジュネーブで開催され、ＡＩが人を介さず判断し攻撃する自律型のロボット兵器を原則として認めないことで合意した。しかし各国がこの合意を順守する保証はなく、またＡＩ兵器がテロリストに利用される可能性もある。

それ以上に問題なのはＡＩ自体が危険な面を持つことである。故スティーヴン・ホーキング博士を含め多くの科学者が、ＡＩの暴走の可能性を警告している。遅くとも二〇四五年になると、ＡＩが人間の知能を超えるシンギュラリティと呼ばれる現象が起きると見られているからだ。そうなればそれまで人間の命令に従うようプログラムされたＡＩが自らを改造し、次世代のＡＩを作り出すことで、人間がコントロールを失うといった事態が起きないとは限らないのだ。今日では技術的な進歩が先走り、それがもたらす政治的、倫理的な問題はほとんど論じられていない。各分野の専門家による徹底した問題の探索が急務であろう。

◆急務となった、ＡＩの導入に対する備え

そのような危険はあるものの、人間が賢くかつ慎重にＡＩを使えば、人類のさらなる発展に役立てることは可能だろう。ＡＩによって人間社会がどう変わるかは、まだ推測の域を出ていないが、人に代わってＡＩとロボットが働いて富と生活必需品を生み出してくれるという夢のような可能性がある一方で、知的職業従事者を含め多くの人が職を失うという、大変な事態が起きることも予想される。そうした事態に対応するため、次項で述べる芸術創造産業を拡大し、ＮＰＯ（非営利団体）を育成することで、新たな雇用を作り出すことが急務となろう。またＡＩが生み出す巨額な富が、経営者や株主に独占されるのを防ぎ、国民の間で富を公平に分配することも重要な課題である。そのためにも、後に詳述するベーシック・インカム制度の導入が急がれる。ＡＩがもたらす最大の恩恵は、経済的なことでもなく利便性を増すからでもなく、人を無意味な労働から解放し、創造に専念することを可能にすることである。

現段階で我々がＡＩに期待するのは、それが今、人類が直面している環境問題や資源の枯渇を緩和する糸口を与えてくれるのではないかということである。最近、「グリーンＡＩ」という言葉をよく聞くが、それはＡＩを環境保護に活用することを指す。例を挙げれば、ある日本

の廃棄物処理業者がＡＩを活用することで、廃棄物処理のスピードを五倍にし、作業員の数を一〇分の一にしたことが報告されている。また工場や店舗の電力管理にＡＩを導入することで、電力が大幅に節約された事例も出ている。今後そうしたＡＩの環境保護への適用例が増えることが期待される。

しかしＡＩの効果について過信することは危険である。確かにＡＩ技術の適用で、温暖化のスピードが緩む可能性はあるが、それは破局を多少先に延ばすことであって、全面的な解決にはならない。今日世界の人口の三分の二が貧困にあえいでおり、さらに今世紀末までには開発途上国を中心に人口が四〇億人近くも増加することが予想され、そうした人々を養うためにも、膨大なエネルギーと資源が必要なのだ。心配されるのは、ＡＩが無責任な楽観論を生み出し、温暖化や資源の枯渇を防ぐための努力に水を差し、かえって事態の悪化をもたらすことである。

9　第四の柱：芸術創造産業（Arts & Creative Industries：ＡＣＩ）

◆クール・ブリタニア政策の成功

イギリスの創造産業振興策は一九九七年に労働党のトニー・ブレア首相によって導入された政策で、一般には「クール・ブリタニア政策」と呼ばれている。イギリスでは、一九九〇年代に入ると、若い世代による音楽、アート、ファッションなどの雑多な文化が活気を見せ始めた。クール・ブリタニア政策はそうした機運を捕らえ、それまでの保守的なイギリスのイメージを一新するための政策である。それはソフト産業の起業を促進し、芸術文化を活性化させ、それを梃（てこ）として産業全体の底上げを目指すものである。それはまた、圧倒的な影響力を持っていたアメリカ文化に対抗し、イギリス文化の独自性を主張する政策でもあった。

イギリスの文化・メディア・スポーツ省（ＤＣＭＳ）の定義によれば、創造産業（Creative Industries）とは、「個人の創造性や技術や技能、才能に由来し、また知的所有権の開発を通じて富と雇用を創出できる産業」を指し、具体的には、「広告」「建築」「美術品」「デザイナー・

ファッション」「映画・ビデオ」「音楽産業」「舞台芸術」「出版」「コンピューター・ソフトウェア」「コンピューター・ゲーム及びビデオゲーム」「テレビ・ラジオ放送」「工芸」「デザイン」などの産業を含む。その中核をなすのは芸術文化とコンピューター・ソフトウェアである。

これらの創造産業はクール・ブリタニア政策の下で当初の予想を大幅に超える成長を遂げ、イギリスのイメージアップだけでなく、経済全体の底上げに貢献している。DCMSの資料によれば、その売上は、二〇一六年には対前年度比三・五%増の二五〇〇億ポンド（約三六兆円）に達した。これはイギリス経済全体の一四・二%に当たる。またイギリス全体の雇用者の伸びが対前年度比一・四%だったのに対し、創造産業は二・五%増の二〇〇万人を雇用しており、観光や教育にも貢献し、最も成長が期待できる産業として経済全体の牽引車になっている。

◆アメリカ芸術産業の飛躍

アメリカの芸術産業（Arts Industries）は、それ以上に目覚ましい発展を遂げている。商務省経済統計局と大統領直轄の芸術支援機関である全米芸術基金（National Endowment for the Arts: NEA）の共同研究によれば、舞台芸術、音楽、映画、放送、広告、デザイン、出版などを合わせた芸術産業の二〇一六年の総売上高は、年額七六四〇億ドル（約八〇兆円）に達し、経済分野として自動車産業を凌駕した。また四七〇万人を雇用している。これにイギリスのようにコンピューター・ソフトやゲームの売上を足せば、売上総額はその倍以上になると見られる。芸術産業の特色の一つは、それが人を中心とした活動であるため、雇用者数が多いことである。

アメリカの芸術創造活動を運営しているのは、主としてNPO（非営利団体）で、寄付者への所得税減税、事業収益への免税等の税制上の優遇措置と、アメリカの伝統である潤沢な民間寄付によって支えられている。全米芸術基金も芸術関連のNPOに公的な資金援助を行っている。アメリカでは、オーケストラやオペラ、劇団、美術館等は、大学院MBAコースやビジネススクール等で経営の専門知識を身につけたアートマネージャーが運営し、企業に負けない合理的な経営がなされていることも強みである。こうした豊富な資金と合理的な経営がアメリカの芸術産業の発展を支えているのだ。

アメリカの芸術創造活動では、これまでジャズ、ミュージカル、映画といった大衆芸能が主体であったが、近年オペラ、オーケストラ、演劇、美術などのクラシック系の芸術が大きな伸びを見せている。たとえばプロのオーケストラは一二〇〇団体以上、毎年定期公演を行うオペラ団体は一四〇を超えている。また経営の多角化も進み、たとえばニューヨークのメトロポリタンオペラは、ほとんどの公演を映像化し、全米数百の映画館で常時上映しており、その作品は日本でも東劇や新宿ピカデリーなど全国で数十の映画館で定期的に上映されている。多額の寄付に加えて、こうした多角的な経営努力とインフラの整備が、アメリカの芸術産業の発展を支えているのだ。また美術界や出版界では、専門のアート・エージェントやリタラリー・エージェントが、芸術家の委託を受けて作品の売り込みから著作権の保護までを行っている。

◆緒についたヨーロッパ諸国の芸術創造産業

欧州諸国は伝統的に文化国家を自負しており、積極的に芸術文化を振興している。その中でもフランスは、欧州諸国間で最大の三五・九七億ユーロ（約四一八四億円）の芸術文化関連予算を組んでいる。

これは私が文化庁文化部長の時にフランスのロワールで開催された日仏文化サミットで、当時のフランスの文化大臣ジャック・ラングと親しく意見を交わした時の印象だが、フランス人は、芸術はあくまで美的・精神的な活動であると考えており、それを営利を目的とした産業と見ることには強い抵抗感があるようだった。

そうした中でＥＵ（欧州連合）が、文化産業の振興を目的として、クリエイティブ・ヨーロッパ政策とクリエイティブ産業プログラムを推進していることは注目すべきである。ＥＵは二〇一四年から二〇二〇年の間に、文化産業に対して一四億六〇〇〇万ユーロ（約一七八九億円）の資金援助を行っている。このEUのイニシアティブによって、加盟国の芸術創造産業が大きく発展することを期待したい（著者注：なおEUが文化産業支援策を導入するに至った経緯と著者の関与ついては、拙著『鴛鴦（おしどり）の思い羽』下巻、「EUによる招聘」を参照されたい）。これらの点から見て、ヨーロッパにおいては芸術創造産業がすでに定着し、発展段階に入ったといえよう。

◆伸び悩む日本の芸術創造産業

それに比べ日本の芸術創造産業は、期待されるほどには伸びていない。その原因の一つが、国の芸術文化政策が迷走していることにある。たとえば政府は、文化庁を文化財が多いからとの理由で京都に移転させ、しかもその過程で芸術課を廃止するなど、芸術軽視策を取っている。

また国際的に定着している芸術文化という熟語を使うのを嫌い、公的には「文化芸術」という奇妙な熟語に変えてしまった。さらに、あいちトリエンナーレで慰安婦像が出展されたのを嫌い、「芸術にも公益性が求められる」として補助金を打ち切った。芸術は時として既存の文化や常識に挑戦をすることにその存在意義があるのであって、それを公益に沿わせようとすれば、間違いなく委縮してしまう。こうして我が国は、多くの優れた芸術家を擁しながら、芸術を産業と呼べるほどには拡大できないでいる。日本の政治家はその無知ゆえに、芸術創造という金の卵を生殺しにしているのだ。これでは芸術創造産業が育つはずはない。

芸術創造産業の振興には、アートマネジメントの強化も必要である。アートマネジメントとは、芸術関連事業の運営に、企業経営で成果を上げている市場開発（マーケティング）、長期戦略、仕事の科学的管理といった経営科学の手法を適用することを指す。欧米、特にアメリカとイギリスで芸術創造産業が近年大きな発展を見せたのは、両国で一九六〇年代から、大学院を中心にアートマネジメント教育が急速に広がり、経営の専門家としてのアートマネージャーの厚い層が形成され、経営の改善がなされたためである。

筆者は、一九九三年から三年半にわたり、カルフォルニア大学ロサンゼルス校（UCLA）アンダーソン経営学大学院アートマネジメント教育センターで、客員教授として文化政策を教える傍ら、アートマネジメントの研究に当たった。そしてUCLAから教員を招聘し、一九九五年に、日本で最初のアートマネジメント専攻学科となる昭和音楽大学音楽芸術運営学科を設立し、その初代学科長に就任した。それを契機に我が国でも学部を中心にアートマネジメント教育を行う大学が増え、現在ではアートマネジメントを教える大学は四五校まで増えているが、まだ米英に追い付くまでには至っていない。これもまた、日本で芸術創造産業が伸び悩んでいる一因である。

芸術創造産業が重要なのは、その効果があらゆる産業、そして国民生活全般に及ぶからである。それは芸術文化のレベルを向上させるだけでなく、人々の創造意欲を刺激し、デザインや美的感覚の向上を通じて製品の質と価値を高め、情報産業の発展に寄与し、観光産業に貢献し、人々の心を癒して幸せにする。しかもこの産業は大量の資源を必要としないため、環境にも極めて優しいのだ。言うまでもなく、芸術文化とソウトウェアを中核とした芸術創造産業は、創造経済のかなめとなるだろう。

近い将来、ＡＩの導入によって半数以上が職を失うであろうホワイトカラーの多くが、芸術創造産業に流入すると予測されていることと、テクノロジーに支配された生き方に不安を感じる人々が芸術創造活動に人間性を求めることも、芸術創造産業をさらに拡大させるであろう（著者注：イギリスが創造産業、アメリカが芸術産業と称するため、本書では両者を合わせて芸術創造産業としている）。

10 第五の柱：非営利団体(Non-profit Organization：NPO)

◆巨大化するアメリカのNPO

創造経済においては、営利企業に加え、NPO（非営利団体）もまた大きな役割を果たす。NPOとは、より良い社会を作るための市民活動が組織化され、法律によって認められた団体を指す。現在先進国の社会経済活動は、政府などの公共セクター、企業などの営利セクター、そしてNPOに代表される市民セクターの三本の柱で支えられている。しかし公権力を伴う公共セクターは市民の自由と抵触する可能性があり、また採算を無視することから非効率的になりがちである。一方利潤を優先する営利セクターは、採算が合わない限り市民の必要に対応しようとはしない。従って健全な社会を構成するには、NPOを中心とした非営利セクターの育成が不可欠である。ボランティア精神が支えるNPOは、経済だけでなく民主主義の維持にとっても必要なのである。

NPO活動が世界で最も活発なアメリカでは、IRS（内国歳入庁。日本の国税庁にあたる）

によって税務控除資格が与えられたＮＰＯは、寄付が所得税から控除されるほか、団体が関連事業で収益を上げた場合、それを関係者の利益に当てることは禁止されるが、使途が団体設立の趣旨に合致している場合は非課税となる。そのため各団体は、積極的に事業を展開し基本財産を積み増しできる。アメリカのＮＰＯ支援団体 Giving USA Foundation などによれば、アメリカにはＮＰＯが一四〇万団体あり、アメリカの全就業者の一一％に当たる一四〇〇万人を雇用している。また二〇一八年で寄付金四一〇〇億ドル（約四五兆円）を含めて総額九〇〇〇億ドル（約一〇〇兆円）の収入を得て、活発な事業を展開している。この収入額は、日本の国家予算とほぼ同額である。

ＮＰＯがこのように急速に成長したのは、一九七〇年代にベトナム戦争と不況の影響で、福祉や医療などの社会サービスを維持しきれなくなった連邦政府が、民間活力を活用しようとしたためである。保守派が伝統的に主張している小さな政府を実現するためにも、ＮＰＯの育成が必要だと考えられたのだ。

今日アメリカのＮＰＯは淘汰の時期に入ったといわれ、その数は頭打ちになっているが、その代わり財政的に巨大化した団体が増えている。たとえば米国バージニア州に本部を置く、世界最大のＮＰＯといわれる United Way Worldwide は、国内を含め四〇ヵ国に一八〇〇の支部を持ち、教育、保健、災害援助など幅広い事業を活発に展開しているが、その年間収入は、企業などからの寄付も含め四七億ドル（約五一〇〇億円）に達している。

ただし、アメリカのNPOにも問題はある。特に宗教系のNPOや、特定の政治グループに近いNPOの場合、金の使い方が偏り、公益に反する疑いがある事案が報告されている。我が国でNPOを強化する場合は、事業の公益性と中立性を担保する仕組みが必要となろう。

私が提唱する創造経済では、NPOが営利セクターに匹敵する経済力を持ち、福祉、医療、教育、人権擁護、創造活動、環境保護、ボランティア活動など多くの分野で、行政と並び公共的な事業を担うのではないかと予測している。NPOは創造経済の先駆けなのである。たとえば日本では児童虐待や不適切な養育が増え、国際的にも批判されているが、地方自治体の財源不足や人材確保の難しさから、児童相談所などの絶対数が足りず、解決の見通しが全く立たないままでいる。アメリカなどでは、児童の保護は主としてNPO団体が担当しており、実績を上げている。福祉分野でのNPOの育成は、日本にとって急務なのだ。

◆若者を惹き付けるアメリカのNPO

来るべき創造経済時代においては、多くの人は金のために働くのではなく、給与が安くてもやり甲斐のある創造的な仕事を希望する結果、NPOが運営する福祉事業や教育事業、芸術創造活動などに就職を希望する人が増えるだろう。二〇一〇年にアメリカの大学新卒者の間で最も就職希望が多かったのは、GAFA、バークシャー・ハサウェイ、JPモルガンなどの大企業ではなく、恵まれない家庭や僻地の子供、移民の子供などのために教師を派遣するTeach for AmericaというNPOだった。就職先は選り取り見取りといわれる超エリート校ハーバード大学の文系卒業者の二割が、このNPOに応募したという。NPOではないが、政府が開発途上国支援のため派遣する「平和部隊」(Peace Corps)も、Teach for Americaと並んで、常時就職希望リストのトップ一〇位に入っている。もちろん給与は大企業に比べて各段に低いのだが、世の中の役に立ちたいという理想に燃えた若者を惹き付けているのだ。

◆営利企業とNPOのハイブリッド化

アメリカのNPOについて特に注目すべきなのは、営利企業とNPOのハイブリッド(交配)化という現象が起きていることである。最近、市民の間で企業に対する目が厳しくなり、環境保全や地域社会への貢献を求める声が高まっている。このため、多くの営利企業が、従来NPOが担っていた分野での事業を手掛けるようになっている。その一方で、事業収益が収入の大半を占める企業型NPOも生まれている。またアメリカの大手地方紙「ソルトレイク・トリビューン」紙のように、経営難を乗り越えるために、寄付で優遇を受けられるNPOに移行した企業も出ている。

その結果、営利企業とＮＰＯの類似点が増え、税務控除資格があるかどうか以外は、あまり違いがなくなってきているのだ。それは営利企業が金儲けといった低次元の目的だけでなく、人々の幸せや人類社会の福利といった高い目的を持った事業を行う、本章の４「変わる企業の在り方」で述べた創造経済の理念が、資本主義の総本山であるアメリカですでに現実のものになりつつあることを意味する。

◆日本のＮＰＯ

我が国においても、一九九八年に特定非営利活動促進法（ＮＰＯ法）が制定され、比較的自由に非営利法人を立ち上げることができるようになった。その結果ＮＰＯ法人の数は五万を超えている。また二〇〇八年には公益法人制度改革関連三法が施行され、社団法人、財団法人などの公益法人が制度として整備された。しかし公益法人に認められるにはかなりの基本財産を要し、また行政の厳しい監督下に置かれるなど制約が多く、現在では、病院や学校、研究機関、福利厚生機関、芸術団体など、合わせて九四一四団体に留まっている（内閣府行政担当室資料による）。

日本のＮＰＯの多くは市民や企業からの支援が十分ではなく、また事業収益が課税されるため財政基盤が脆弱である。それに従業員が数人といった小規模な団体が多く、その四割は有給職員がゼロであり、また後継者不足等から解散する団体も増えるなど、伸び悩んでいる。そしてそれが日本における健全な市民社会の発展を妨げているのだ。来るべき創造経済においては、アメリカのように行政の関与は最低限に抑え、事業収入があっても使途が団体の設立目的に合致すれば非課税にするなどの、ＮＰＯ育成策を取ることになるだろう。

ＮＰＯの整備拡大は、福祉や教育などの分野での国や地方の負担を軽減し、本章の８で触れた人工知能（ＡＩ）の導入により生じる大量の失業者を吸収するためにも急務である。国や地方の財政が逼迫している日本でこそ、国に頼らないＮＰＯの育成が求められているのだ。

11　第六の柱：ベーシック・インカム（Basic Income：ＢＩ）制度の導入

◆貧困を根絶するのがベーシック・インカム

ベーシック・インカム（ＢＩ）という概念は、何世紀も前から一部の思想家たちによって貧困対策として提唱されていたが、二十世紀後半に入って、欧米の識者の間でその是非についての議論が広まった。それは現行の生活保護や失業手当などの福祉制度を廃止して、代わりに国庫収入から、国防、外交、衛生、インフラ整備などの必要経費を差し引いた残額を、年齢、所得、就労の有無にかかわらず、国民全員に平等に分配する仕組みである。それは世帯に対してではなく個人に配られる。国民はそれを娯楽も含め何に使っても構わないし、働いて収入を上乗せするのも自由である（ベーシックインカム地球ネットワーク〈ＢＩＥＮ〉による）。

この一見、原始共産主義的にも見えるアイデアを近年になって推し進めたのが、「小さな政府」を旗印としたリバタリアン（Libertarian）と称する、資本主義の原型を擁護する保守的な経済学者たちである。彼らの支持の下で超保守的なニクソン政権がＢＩ制度の導入を提案し、下院で法案が可決されたものの、ウォーターゲート事件で政権が崩壊したため立ち消えになった。

◆BI制度についての関心の高まり

今日欧米では、多くの研究者がBIについて研究を進めており、一九八六年には関心を持つヨーロッパの人々をつなぐネットワークBIEN（Basic Income European Network）が設立され、二〇〇四年には地球規模のBasic Income Earth Network（同じくBIEN）に発展した。

アメリカのアラスカ州では、州民全員に年間一〇〇〇〜二〇〇〇ドルを配るBIに似た制度を実施している。二〇一六年にはスイスでBI制度導入について国民投票が行われたが、賛成は二八％に留まり否決された。二〇一八年にはフィンランドが、二年計画で失業保険受給者を対象に試験的にBIを実施している。BIの実験は、スイス、オランダ、カナダ、ケニア、アメリカのカリフォルニア州などでも行われている（BIEN）。

これらの実験の結果が検証されるのは二〇二〇年以降になるが、前項で述べたAI導入による大量の失業者の発生の可能性を考えれば、すべての国民に平等に現金を配布するBI制度のほうが、現行の生活保護や失業手当制度に比べて、より適切な仕組みであることは間違いない。

二〇二〇年のアメリカ大統領選挙では、四十四歳の全く無名だった台湾移民二世の起業家、アンドリュー・ヤン（Andrew Yang）氏が、月額一人一〇〇〇ドル（約一一万円）のＢＩの導入を主な公約として民主党から立候補した。当初泡沫（ほうまつ）候補と見られていたが、多くの支持と選挙資金を集め、有力候補者の一人として残ったが、二〇二〇年二月、撤退した。とはいえ、このことは、ＢＩ制度に関心を持つ人がアメリカでも増えていることを示しているといえよう。

◆BI制度のメリットとデメリット

ＢＩの第一の、そして最大のメリットは、それによって人類史上初めて、貧困という諸悪の根源が根絶されることである。第二は、ＢＩは人工知能の導入が進行した場合想定される大量の失業者の救済にもなる。第三は、それがＡＩが生み出すであろう巨額の利益を、国民に平等に配分するのに有効な唯一の仕組みである。第四は、国民の将来の生活への不安を払拭（ふっしょく）することで、日本で一世帯当たり一八〇〇万円あるとされる預貯金が不必要になり、消費に回されるため、きわめて有効な景気対策ともなる。第五は、ＢＩは個人に支給されるため、女性の経済的自立を促進し、また子供が増えれば世帯の所得も増えるため、少子化対策にもなるだろう。第六は、受給者の自尊心を傷つける生活保護や失業手当を廃止することで、国民全員が誇りを持って生きられることだ。第七は、先進諸国を悩ませている都市と地方の格差の解消にもなるだろう。第八は、現在の高齢者優遇の福祉や年金制度に不公平さを感じている、働いている年代の人々の不満も解消されることだ。

ではBIのデメリットは何か。BI制度に懐疑的な人は、すべての人に収入を無条件で保証すれば、勤労意欲を失った怠け者が増えることを危惧している。これが二〇一六年にスイスで行われた国民投票で、BI案が否決された最大の理由である。世界で最も勤勉だとされるスイス人が、BIに反対したのも分かる気がする。しかしそれは、所得を得るための勤労だけが正当な仕事だと見る古い勤労意識に基づく偏見だと思う。また、BIがあるのをいいことに、企業が安い賃金で人を雇うことで不当に儲けると考える人もいる。BIを目当てに貧しい国々から移民が殺到する可能性も指摘されている。

BIは、国民にとっても国にとっても、最も望ましい所得配分制度である。それは日本国憲法が定めた「健康で文化的な最低限度の生活」を、全国民に保証する仕組みである。それはまた、すべての人に経済的自由を保証し、理想の民主主義の実現を可能とする画期的な制度なのだ。財政の逼迫、高齢化、人口の減少、成長の停滞によって、現行の福祉制度が破綻する可能性が高い日本の場合、その代替案として早急にBI制度導入について検討すべきである。

◆財政的に実施可能なBI

ＢＩの導入に当たっては、それが財政的に可能かどうかが最大の問題となる。スイスで国民投票に付されたＢＩ案では、大人月額二五〇〇スイスフラン（約二八万円）、未成年者には六二五スイスフラン（約七万円）を支給するとされていたが、大方の経済関係者は、この額は野心的に過ぎ、それがこの提案が国民投票で否決された理由の一つだと考えている。

日本では、日銀政策委員会委員だった原田泰氏が二〇一五年に出版した『ベーシック・インカム――国家は貧困問題を解決できるか』（中公新書）の中で、ＢＩの実施には年額九六・三兆円の財源が必要だとして、生活保護や介護保険、失業手当、児童手当などの現行の福祉関連予算を廃止し、農家や中小企業への過剰な支援等を削減し、所得税を年額平均三〇％にすれば、現行の財政の枠内で、一人月額大人七万円、未成年者三万円のＢＩの給付が可能だと述べている。

一人七万円では少ないと思うかもしれないが、ＢＩは個人に給付されるので、夫婦と子供二人の世帯なら、月二〇万円となる。多くの受給者が働いて収入を得ることを考えれば、余分な贅沢をしない限り余裕のある生活設計をするのに十分だろう。

それに加えて、前述したような余剰な預貯金が消費に回ることから予想される税収の増加や、これまで福祉関連事業に携わっていた多くの公務員が不要になることから来る行政経費の節約も計算に入れるべきだ。所得格差を緩和するため、富裕層に富裕税や資産税を課すことも考えられる。企業の内部留保金も課税すべきである。消費税をスウェーデンと同じ二五％にするだけでも、原田案よりもかなり高額のＢＩが給付できるかもしれない。もちろん、環境を守り資源を保存する必要を考えれば、節約経済への転換が不可欠であり、ＢＩもただ金額を増やせば良いということではない。それでも日本政府は最近、年金、失業手当、医療保険、生活保護、子供手当てなどの社会保障給付費が、二〇四〇年には一九〇兆円に達するという予測を発表したが、これは国の財政規模では対応できない額である。これらの制度を統合し、ＢＩ制度に切り替えたほうが効率的であり、経費の節約にもなるのではないかと思われる。

◆創造経済に最適な所得配分制度

ＢＩ制度はこれまで国単位で実施されたことはなく、前述したそのメリット、デメリットはあくまで理論上のもので、実際にそうなるかどうかは明らかでない。しかし多くの人がＡＩの導入によって職を失い、また賃金のためでなく創造のために働く創造経済が定着した社会では、ＢＩ制度が最も合理的でなじみやすい所得配分制度であることは間違いない。この制度が導入されれば、人々は生活費のことなど気にせずに創造や社会奉仕に専念できる。それは経済のくびきから人間を解放することでもある。創造経済においては、人は賃金のために働くのではなく、創造のため、社会のために働くのであり、生活が保障されたからといって、怠惰になることはないのだ。

これまでに述べた新たな六本の柱によって、私が提唱する未来志向の創造経済が単なる経済理論の一つではなく、実現可能で、しかも私が第三章以下で予測する、来るべき永遠志向社会に対応できる唯一の制度であることが明白になったのだ。

繰り返して言うが、私が提案しているのは資本主義の再生である。この新たな資本主義がこれまでの資本主義と最も異なる点は、働く人の動機である。これまで人々は、主として報酬を得るために働いてきた。しかし創造経済では、人は生きる意義を求めて仕事をする。この新たな経済では、お宝ともいうべき優れた製品を作り、美を生み出し、あるいは人々の福祉に奉仕し、見返りとして、感謝と名声、そして究極的にはその積み重ねで第三章で述べるように、歴史の中での名誉ある存在を確保するのだ。こうして仕事は人生の目的を達成するための喜びと充実の場、人類社会への貢献の場、そして自己を歴史に残すための神聖な戦いの場となる。

◆労働こそ真の生きがい

日本では今でも定年制という不条理な制度が残り、人々はまだ働く力が残っていても、年齢を理由に不用なものとして切り捨てられる。しかしアメリカでは、定年制度は年齢による差別で、人権侵害だとして禁じられているのだ。創造経済では、仕事は生きがいとなり、それを奪う権利は誰にもない。人々は自らの意思で身を引かない限り、あるいは能力の低下から周囲に迷惑を掛けない限り、当然に働き続ける権利があるのだ。苦役（labor）を意味するこれまでの労働は、人生に生きがいと意味を与える天職（vocation）に昇華するのだ。このこと一つをとっても、創造経済は現行の未熟な資本主義制度に勝るのだ。

このような経済制度の抜本的な変更は長い時間がかかるものであり、その間移行に伴う多くの摩擦と困難が起きるだろう。混乱も起きるし既存の企業なども痛みを伴う改革を迫られる。しかし地球環境を破壊し、所得格差を拡大し、道徳的な退廃を招いている現行の経済制度をいつまでも継続すれば、経済そのものが崩壊する可能性が高い以上、我々にとって変革しか選択肢はないのだ。

生みの苦しみを英知と忍耐をもって乗り越え、幸せと人類の将来に貢献する創造経済を確立すべきである。それが日本にとっても世界にとっても、最善の選択なのである。

第三章　永遠志向社会と究極の幸せ

死を超越したいという人間独自の本能である永遠志向は、それを望むすべての人の功績が歴史に記録される歴史国家を生み出し、歴史の上での平等を保証する歴史民主主義が確立される。そこでは宗教的な来世に加え、歴史が人々に現世での来世を提供し、歴史を通じて死を超越しようとする英雄、英才、天才、そして世のため人のために献身する良き人々を輩出し、人類は新たな高みに到達する。

1　死からの逃避

◆避けて通れない死の問題

第三章に入るに当たり、著者として説明しておきたいことがある。それは「永遠志向」の思想に初めて接する人は、私が随所で触れる死という忌むべき現象についての議論を不快に感じるかもしれないということである。

人は普通、自己を無にする死の現実は忘れていたいものだ。それをなぜことさらに思い出させるのかと怒るかたもいよう。また人はそれぞれ自分の死生観を持っており、フロイトが確立した精神分析の手法に基づく私の死についての考察には、必ずしも同意しないかもしれない。特に信仰を持つかたは、本書での議論を神仏への冒瀆と取ることもあろう。そうしたことから前作の『創造経済と究極の幸せ』を読んだ数人の友人や研究者から、折角資本主義経済の本質的な欠陥を解明し、それに対して有効とも思われる解決策を提示したのに、死の問題に触れることで、読者にとって納得できるものも納得できなくしてしまうのではないかとの、最もなご指摘をいただいた。もしそうなら私としては、読者にお詫びするとともに、理解を請うしかない。

私は、これまで人類を死の絶望から救っていた宗教がその影響力を弱めたため、次第に多くの人が死を忘れるための他の手段を求め、それが資本主義を生み出したと考える。そうした経緯を考えた時、経済の改革と究極の幸せへの道を論じる本書では、死の問題を真っ向から取り上げ、死を超越するための永遠志向社会を提示するのが、著者の責任であることをご理解いただきたい。私は経済の改革だけを提案しているのではなく、真の幸せを獲得するために、人間の在り方そのものを変えるべきだと主張しているのだ。

私の提案は、世紀単位で考えなければ理解することはできないだろう。問題はそうした長期的観点に立ってみた時、環境問題が解決され、新たな創造経済が稼働したとしても、必ずしも皆が幸せになるとは言いきれないことだ。確かに創造経済は、利潤追求だけの現行の資本主義経済よりは環境に優しく、貧困を無くし、また創造を通じて人々に幸せと生きがいを与える。しかし経済は人間生活のほんの一部を占めているのに過ぎず、従って人が本当の幸福を獲得するには、その他にも平和や政治的安定、心を癒す健全な家族やコミュニティが必要なのだ。

またそれ以上に、必然である死という残酷な現実にどう対処するかが幸せの鍵となる。これまでは宗教が、死はより良い世界への再生に過ぎないという教義で、人々に大きな安らぎをもたらしていた。しかし実証と合理性を絶対とする科学の影響で神の存在に疑問を抱く人が増え、多くの人々を底知れぬ不安に陥れている。この絶望こそが資本主義経済の罪悪である過度の金銭欲と過剰な消費の真の原因なのだ。宗教の弱体化が生んだ人々の精神的な空虚さを埋めるには、創造経済の構築だけでは不十分なのだ。

◆エデンの園からの追放

死が必然であることに気が付かない動物の場合は、腹が満ちて安全が保障され、居心地の良い環境に置かれれば、この上なく幸せになれる。しかし命に限りのあることを知ってしまった人間の場合、死の問題を解決しない限りその一生ははかないものに留まり、本当の意味で幸せにはなれないのだ。その人間も死の必然を明確には認識しなかった旧石器時代までは、他の動物と同じく、粗野で厳しいながら、自然と調和した自由奔放な日々を送っていたのではないかと推測される。

その幸せを破壊したのが、知能の発達である。人間はその高い知能を使って、道具を作り、集団社会を形成し、自然をうまく利用することで他の動物との生存競争に打ち勝ってきた。しかしその知能のために、人類の歴史のある時点で、自分がいつかは死ななければならないことに気付いてしまう。アダムとイブが禁断の果実を食べたためにエデンの園から追放され、死すべき運命を課せられたという旧約聖書に出てくる挿話は、多くの示唆を含んでいる。人間は、知恵のリンゴを食べたために、死の必然という絶望に満ちた現実を知ってしまったのだ。

◆死の潜在意識とフロイト

人が環境破壊による人類絶滅の危険に気付きながら、経済成長と消費の増大を止められない一因は、現代人の多くが心に抱える死の恐怖という潜在意識にある。死後の存在を保証した宗教の力が弱まると、人は死の現実を忘れるための何らかの仕組みが必要となる。そして現代において、そのための最も有効な仕組みとなったのが金儲けと浪費なのだ。もしその継続が不可能となれば、人々は死の現実を思い出し、自暴自棄に陥るだろう。だからこそ、無理と分かりながらも経済成長政策を変えることができないのだ。

読者は、自分は死の意識など持っていないと言うかもしれない。しかし精神分析の父フロイトが言ったように、死は潜在意識（subconsciousness）である。潜在意識はよく、海に浮かぶ氷山に喩えられる。海の上に出ている部分は顕在意識で、我々が知覚している部分である。それに対して、氷山の大部分は海面下に沈んでいるのが潜在意識で、人は通常、意識していない。それは心の奥底に潜み、無意識のうちに人の行動や考え方に影響を与える。従って大抵の人は、死の意識が自分を動かしていることには気付かない。この死の潜在意識が社会の構成員に共有され、皆が金儲けと消費に駆り立てられた結果、今日の資本主義が生まれたのだ。

そこでフロイトの精神分析の手法によって、死の潜在意識が及ぼす心理的問題を考えてみよう。死の現実への反応の一例が、彼が「抑圧」(repression)と呼んだ苦痛をもたらす現実の認識を拒否する心理である。人にとり最大の苦痛である死の抑圧を、彼は次のように表現している。「我々は死を棚上げし、日々の生活から抹殺しようとする否定しがたい振る舞いに慣れている。我々は死をもみ消そうとする。無意識にはすべての人が、自分自身の不死を確信しているのだ」(The Attitude of Psychoneurotics towards Death.)。

彼はまた「否定」(Denial)という心理にも触れている。それによると人の死に対する恐怖が耐え難くなると、死そのものの可能性を否定するという心理である。また諦観(Resignation)といって、死刑囚や、生還を期すことがない任務に就く兵士、そして臨終の床にある人などに見られる、死への抵抗を諦め、受け入れてしまう心理もある。しかしこれは、すべての生き物が持つ生存志向に反するものであり、正常な心理ではない。

また、自己の死に対する憎しみを他人に向け、相手を憎み傷つけるという「転移」と呼ばれる心理もある。

◆現代人に残された選択

また、死が否定しがたい必然であることを認識しながら、なおかつそれを回避する心理を彼は「逃避」(escape) と呼んでいる。人は死に対して「抑圧」「否定」といった反応で対応しようとする。しかし死は我々の生活の中で、当たり前の存在であり、否定しようのない現実である。人は身内の死だけでなく、メディアなどで報道される有名人や犯罪被害者の死、そしてゲームや映画での疑似的殺人経験を通じて、その存在に日常的に晒されている。その結果死を否定し、抑圧することは不可能になる。従って現代人に残された選択は、死からの逃避しかない。

こうして人は、何かに熱中することで死の現実から逃げようとする。要するに死という最も受け入れがたい現実については、ほとんどの人が気付きながら、その現実から逃げようとするのだ。だからこそ環境破壊の深刻さが分かっていても、死の現実から気を紛らわしてくれる金儲けと浪費を止められないのだ。

◆群衆への埋没

逃避の一つの例が、自己を捨てて群衆の一員になりきろうとする傾向である。この心理に陥った人は自分で考えるのを止めて、周りに迎合し、個性を極端に嫌い、なんでも周囲と同じことをしようとする。その底にあるのは、全体の一部になりきれば、死すべき自分もいなくなるという歪んだ心理で、結果として人間社会は、アリや蜂のように全体だけが意味を持つ集合体になる。これが極端な民族主義や群集心理、あるいはポピュリズムが生まれる原因である。

今日多くの人が、熟慮や議論を経て物事を判断するのではなく、ソーシャルメディアの情報を鵜呑みにしがちなのも、同じ心理である。その結果世論は違った意見に対して不寛容になり、いわゆる炎上とかヘイトスピーチ、あるいはフェイクニュースといった好ましくない現象が起きるのだ。さらに人は、現実から逃れるため四六時中スマホの画面を眺めて過ごす。フランスの思想家パスカルは、「人間は考える葦だ」と言ったが、多くの現代人は「スマホする葦」に成り下がろうとしている。

人はまた、死を思い出す恐れのある暇な時間を持つことを嫌い、金儲けと消費に加えて、せわしく遊んで浮かれて生涯を過ごし、物事を真剣に考えなくなる。こうして多くの人がアルコールや薬物で意識を混濁させる。記録されたどの時代、どの文明をとっても、現実を忘れるため何らかの薬物をとる習慣が存在していた。今日でも麻薬や覚せい剤の使用は、日本を含めほとんどの国ではびこっている。肉体的快楽に没頭するのも、同じ動機から生まれた人間独自の行動である。賭博依存症や買い物中毒、レジャーという無駄遊びなども逃避である。勤務時間を超えて過労死の危険を冒してまで自主的に働くのも、逃避である。それらは死を忘却するための手段であり、従っていくら法律や道徳で禁止しても、止めさせることはできない。燃料をがぶ飲みし排気ガスを撒き散らす航空機の旅客数は、すでに年間四〇億人（国際航空運送協会〈IATA〉調べ）を超え、その多くが観光客だということ一つをとっても、現代人の浪費が度を超えたものであることは明白だ。それでもそれを止めることはできないのは、逃避の手段として旅ほど有効なものはないからだ。

◆究極の逃避、自殺

逃避の最も極端な例が、自らの命を絶つことで死を出し抜く自殺である。日本で若者の死因の一位を占めている自殺は、必然である死から逃げるため自らの命を絶つ逃避行為である場合が多い。もし人が不老不死なら、自殺などはほとんど起きないだろう。しかし命が儚（はかな）いものなら、なぜ病気や孤独の苦しみに耐え、短い命を生き延びなければならないか疑問を抱くのは当然である。しかし正常な精神状態にあっては、現実がどのように厳しいものであっても、すべての生物が共有する基本的な本能である生存志向に反することはできないのだ。

2　魂の不滅と永遠志向

◆魂は不滅か

もし逃避が死を忘却させてくれないのなら、人はどうすれば死という最も残酷な宿命を克服できるのか。死の必然を知った我々の祖先は自分が死んだ後はどうなるかを考えるようになり、そこから生まれた回答の一つが、魂の不滅である。

それは、人は死にその肉体は消滅するかもしれないが、魂そのものは肉体から切り離された後でも永遠に存在し続けるという概念である。この魂の不滅という概念は、人の死に対する恐怖を和らげるのに最も効果的である。もしこの不滅の魂を立証することができるなら、死に直面した人々の苦悩も消滅する。そして私が永遠志向理論を展開する必要もなくなる。

この魂の問題は、最も頻繁に議論されてきた哲学上の問題でもある。ソクラテス、プラトン、ロック、カント、デカルトなどが、この問題を彼らの中心課題として詳しく論じている。たとえばロックは、その『人間悟性論』の中で、「人間の魂はすべての物質的実態とは異なり、意識する精神的実態であり、肉体の死をも生き残る。すなわち不滅である」と論じている（An Essay concerning Human Understanding, John Locke）。カントもまたその『実践理性批判』で、「人は自由であり、魂は不滅であり、そして神は存在する」と断定している（The Critique of Practical Reason, Immanuel Kant）。彼はその一方で、不滅の魂という実態は「理論的な見地からは決して証拠を得ることができないものであり」、従って「信仰」の問題であるとも告白している。もし神と来世での魂の救済を信じれば死の問題はすべて解決するが、それは理性と論理に基づく哲学ではなく、次項の「3　宗教」で論じる宗教上の問題である。

それでも魂の不滅という議論は、全く合理性を欠いているわけではない。自分が死後も魂という心霊的な存在であり続けると信じられるなら、人は死という究極の苦しみから救われる。魂の不滅という概念は、永遠志向によって引き起こされた心理的必要に対応して必然的に考え出された理論の一つなのだ。しかし現実には、人間の心理的現象は脳により構築されるものであり、もし脳が機能しなくなれば、その媒介なしには精神的な活動も存在しえないと見るべきである。

◆「死後も存在する何か」

では人は、死後には無に帰する運命なのだろうか。それについては、哲学の始祖ともいうべきソクラテスが、アテネの権力者たちの無知を批判したために死刑を宣告され、執行を待つ間に弟子たちと交わした議論で述べている。弟子たちが牢番を買収してソクラテスを逃がそうとしたのに彼はそれを拒否し、その理由を「私は死者にとって死後も存続する何かがあり、そして古くから語り継がれてきたように、それは悪より善にとってはるかに良い何かである、という確かな希望があるからだ」と語っている（PHAEDO 63, Plato）。

ここに我々が求めている答えがある。それは「死後も存続する何か」である。それは死後も我々の命の代替となるものであり、それによって人は肉体の滅びを超えることができるのだ。ソクラテスが死を莞爾（かんじ）として受け入れたのは、「悪法も法であり、従うべきだ」という自らの信念を貫くことで、自分の高潔さと強固な誠実さが後世まで語り継がれることを確信したためである。

もし人が死後も残る自己を確信すれば、死は自己の終わりではなく、より大きく、より重要な自己に成りうるのだ。そしてその確信を得るための欲求こそが永遠志向なのである。

3　宗　教

◇宗教の生成

　では人類はいつから死の必然を知るようになったのか。その証拠の一つが死者を手厚く葬る風習である。遺体を敬意と配慮をもって扱うのは、もはや本能の問題ではなく、死を意識した人間心理の始まりである。死者の儀式的埋葬の初期の例は、パレスチナのワディ・エル＝ムガーラで発見されたネアンデルタール人による埋葬の跡である。そこでは遺体は、食物と黒曜石の道具を添えて埋葬されていた。それは死者と生きている者との間に感情的な繋がりがあったことを示している。それはまた彼らが、自分を待ち構えている死の宿命に気付いて、明日は我が身と死んだ仲間に同情したことでもある。

　これまでは、現生人類の同種は解剖学的な特徴が一致するクロマニョン人だけだと考えられていた。しかし死者に感情移入したという事実は、ネアンデルタール人が自分がいつかは死ぬことを知った人間であって、他の動物と明確に区別されるべき存在であることを示している。

死の絶望を解決するために最初に生まれた手段が、一定のタブーを守り儀式をすれば死は回避できるとする魔術だった。しかし新石器時代に入り農業が生まれ人々が定住生活に入ると、どのようにまじないを唱えタブーを守っても、老人は死に、次の世代にとって代わられるという世代交代の事実を隠しきれなくなり、人々は次第に魔術を信じなくなる。それでも禁制とか法度（はっと）、豊作祈願や悪魔祓い、病気平癒の祈禱（きとう）による治療などの魔術的な慣行は、今日でも宗教の儀式などに取り入れられている。もし魔術という安全弁がなかったら、初期の人類の生活は、もっと悲惨なものになっていただろう。

魔術に代わって人々の心の支えになったのは、死の必然を認めた上で、この世には生死をつかさどる絶対的な存在があり、その恩恵によって肉体は滅びても何らかの形で生き返ると説いた古代宗教である。死後に魂が戻ると信じて死体をミイラ化して保存した古代エジプトの宗教や、人は死んでも生まれ変わるとする輪廻（りんね）を説いたバラモン教がその典型である。これら古代宗教も、死後の再生という教義で人々に安らぎを与えたが、信仰としては大きな欠陥があった。古代宗教の多くは、神と信者の関係を一種の契約と考えており、来世での再生を含め神の御利益は、念入りな祈禱や供物の見返りとして個人に与えられると考えていた。このような打算に基づく限り、信仰は本当の意味で敬虔（けいけん）なものとはならなかっただろう。

◆普遍的宗教と人類愛

それに対して、私が「普遍的宗教」と呼ぶキリスト教、イスラム教、仏教などの新しい宗教は、それまでの古代宗教が個人の救済を唱えたのに対して、人類全体への愛と救済を説いた。たとえばキリストは、「あなた自身のようにあなたの隣人を愛しなさい」（「マタイによる福音書」22：39）と説いた。そして「われはブドウの木であり、汝らは枝である」（「ヨハネによる福音書」15：5）とも教えた。これは枝である自己を愛することは、すなわち木であるキリストを介して信者全員を愛することを意味する。仏教が説く、人を憐れみ、苦を除き、愛を与えるという「慈悲」の教えも、イスラム教が説く信者同士の相互扶助も人類愛である。この全人類への所属の概念が、人々に他人との連帯感を自覚させ、狭い自己を超えた人類愛を生み、文明社会を支えたのだ。

普遍的宗教はまた、この世には神仏という絶対的で聖なる存在があり、人の肉体が滅びても魂が救われ、来世という異次元の世界で永遠に存在し続けるという、精緻（せいち）な来世思想を築き上げた。もし来世での存在を信じるなら、それこそは幸せの極致であり、死は恐ろしくなくなる。人類が今日まで死の絶望に押し潰（つぶ）されずに来られたのは、来世での救済という普遍的宗教の教義のおかげだった。今日でも、一般的に言って来世を信じる信心深い人々は、無信心者よりも幸せなことは間違いない。これらの普遍的宗教の広がりはまさに驚異的で、今日では、二四億人がキリスト教徒、一七億人がイスラム教徒、五億人が仏教徒だと言われている。これらの宗教の教義を信じる人々は、多くの場合死の恐怖から免れ、幸福な日々を送っている。そしてそれを支えているのが、神仏の恩恵によって死後も存続するという確信なのである。この普遍的宗教の広がりこそ、永遠志向という衝動がすべての人の心に内蔵されているとする私の主張が正しい、何よりもの確証である。

◆無神論者と不可知論者の増加が意味するもの

今、信仰を持つ人はできればそれを保持すべきだ。なぜならそれは、死という耐え難い現実を回避する最も確実な道だからである。しかし立証できないことは疑えという科学の合理的な考え方が一般化し、具体的な証拠がない神や来世の存在を信じ続けるのが、次第に難しくなってきている。残念ながら私の場合もそうである。多くの現代人は、病の治療や長寿、幸せや子孫繁栄などを、神に祈るのではなく、人間の知恵が生み出す科学やテクノロジーに求める。広島や長崎を破壊した原子爆弾の威力は、旧約聖書に出てくる堕落したソドムとゴモラの町を崩壊させた神の力を些細なものとし、地球が広大な宇宙の中の微小な星の一つに過ぎないことを立証することで、神の地上への出現の意味そのものを矮小化したのだ。

ケンブリッジ大学のフィル・ザッカーマンのレポート「同時代的無神論者または不可知論者の割合と動向」によれば、神は存在しないとする無神論者または神が存在するかどうか分からないとする「不可知論者」が一番多いのはスウェーデンで、人口の八五％を占める。そして日本は第五位の六五％となっている。意外なのは一般に物質主義的だと見られているアメリカでは、無神論者や不可知論者はわずか九％である。ギャラップ社その他の調査でも、イスラム圏を除いては信仰を持たない者が増えている。科学とテクノロジーが神の奇跡を上回る驚異を次々と生み出していることから、神仏の存在を信じない人は今後とも増え続けるだろう。

◆信教の自由の尊重

私自身は、無神論者ではなく不可知論者である。なぜなら神の存在を信じられない一方で、神の存在を否定するだけの確信もないからだ。それでも私は、機会があれば仏典や聖書などに目を通してきた。それはこれらの聖典は、多くの示唆に富み、英知の源だからである。それはまた、数千年にわたり人々を死の恐怖から救ってきたという、歴史上の実績が詰まった文書でもあるからだ。信仰とは人の認識を超えた問題であり、神がいるともいないとも断言できないのだ。

哲学を探究してきた私としては、創造主が作りたもうた戒律そして奇跡を、「聖なるもの」

として絶対視し、一切の批判を許さない宗教の過度の頑なさに対しては、疑問を持たざるを得ない。しかしその一方で世界では今日でも、信仰に安らぎを求める人が多数を占めているという事実がある。そうした現実の中で、確たる証拠もなく神の存在を否定するのは、信心深い人たちの救いの道を閉ざし、彼らに死の必然という究極の苦しみを押し付けることになる。それは最も忌むべき形の人権侵害である。

　そうした無神経な断定は信仰を持つ人々の心の安らぎを奪い、無神論者への深い憎しみと怒りを抱かせるだろう。世界を震駭させたイスラム国（ＩＳ）の残忍なテロ行為も、宗教的な異端者や無神論者への憎しみが生んだものである。それが万一、信仰を持つ者と無神論者との全面的な対立になれば、想像を絶する悲惨な結果を生むだろう。そうした破局を防ぐためにも、立証もできないのに神の不在を声高に叫ぶのではなく、宗教の持つ死の苦しみを癒す力と、人類に救いの道を与えてきた実績、そして人々の信仰心の純粋さに敬意を払うべきである。

　自分が無神論者であることを公言するのは自由だが、何人も他人の信仰を真っ向から否定し侮辱する権利はない。それが民主主義の中核をなす信教の自由なのだ。ドイツの哲学者ニーチェは「神は死んだ」と宣告し、カール・マルクスは「宗教は民衆のアヘンだ」と非難した。しかし信心深い人々を深く傷つけるそうした発言は、人道上からも許されるべきではない。

◆救いとしての創造と永遠志向社会

しかしいったん神の存在に疑いが生じると、再び信仰に戻るのは極めて難しいのが現実である。そうした人々にとって救いとなるのが、第三章で述べた創造経済であり、本章5で触れる永遠志向社会である。自らの創造意欲を満たし、人類発展にも寄与する創造活動は、その創造物を通じて自分の足跡が後世に残ることから、死がもたらす空虚感を癒すのに絶大な効果がある。

創造経済は、信仰を失って死の運命に怯(おび)える人々にも、創造を通じて救済の道を与える。それに加えて死んでも歴史を通じて足跡を残せる永遠志向社会を構築することで、人類は死を完全に超越するのだ。

4 科学とテクノロジー

◆科学時代の幕開け

宗教もそして創造経済も、人類が直面している死の宿命からの救いとして、限界があるとすれば、多くの現代人が最高の認識形態であり、宇宙のすべての現象を解明する手段であると信じている科学は、生と死の相克を解決できるのだろうか。

現代はまさに科学の時代である。この時代をそれ以前の時代から区別するすべての要素、たとえば文化、社会制度、思想、経済などは皆、科学と連動しているか、またはその強い影響のもとで形成されている。科学が今日の人類社会の発展に大きな役割を果たしていることについては異論はないと思うが、何をもって科学とするかは人により大きく分かれる。ある者は科学を、実証を絶対とする科学的手法そのものだと考える。また他方では、そうした手法によって得られた知識そのものを指すと主張する者もいる。また一般の人々は、人間が環境をコントロールするための科学的知識の応用も、科学のうちに含める。この科学の実用分野は、「純粋科学」と区分するため、「応用科学」あるいは「テクノロジー」と呼ばれるが、両者の境界は必ずしも明確ではない。

科学という現象の本質が何であるかは、科学の発生の経緯を見れば理解できる。十六世紀のヨーロッパにおいては、ローマ教会の教えを絶対とする旧教（カソリック）と、神の教えは人が理性をもって解釈すべきだとする新教（プロテスタント）との対立が広まり、その混乱によって、それまで人々を死の恐怖から救っていた信仰そのものが揺らぐこととなる。この状況は、自らの生き方を真剣に考える内省的な心を持つ人にとっては耐え難いことであったろう。こうして人々は、宗教に代わる絶対的な価値を求めて精神的な巡礼の旅に出る。このような求道から生まれたのが、論理と批判的な考え方によって真実を求める科学と哲学である。ラテン語の scientia は元来人の知的活動一般を指すものであって、ギリシャ語の philosophia（philo は愛する、sophia は知恵）と本質的な違いはなかった。しかし哲学が理論的な統一に失敗し停滞しているのに対し、科学は事実の客観的な観察と実験に基づく共通の手法を確立し、大きな発展を遂げることとなる。

今日まで続く科学の時代は、通常一五四三年にコペルニクスが地動説を唱えたことで始まるとされる。彼はそれまでの地球は不動であるとした教会の見解に対し、地球は太陽を中心としてその周りを回っている惑星の一つであると唱えた。彼の学説は彼自身が発見したのではなく、古代ギリシャのピタゴラス学派の地球公転説とプラトン学派の太陽中心説を受け継いだに過ぎない。それは観察も実験も経ておらず、従って科学的でもなかったが、それまで教会が唱えてきた天動説を打ち砕き、神への信仰そのものを揺るがした。地球が多くの惑星の一つに過ぎないとすれば、神の地上への出現そのものの重要性が失なわれるのだ。

それを契機に、人々はもろもろの現象を説明するのに神意を持ち出すのを躊躇するようになる。そしてガリレオが、外的な力が加わらなければ物体は静止状態に留まるが、すでに動いているものはそのまま一直線の運動を続けるとした慣性の法則を打ち出し、その一世紀後ニュートンがかの有名な三大発見（万有引力、微分積分学、光学）を発表し、そして十九世紀にはダーヴィンが地球上の生物は、より原始的な共通の生物から進化したとする進化論を唱え、ここに人の生死の問題も含め、宇宙のありとあらゆる神秘は科学によって解明できるとする確信を生んだ。その結果、自然には一定の法則があるとした「自然の法則」という考え方が、宗教に代わり人類社会の指導的理念となった。

◆死の問題を放棄した科学

しかし科学は、死がもたらす人間の苦悩については、何らの解決策を生み出さなかった。死が生命の断絶ではなく、来世での存在の前段階であるとした宗教に対して、科学は来世の存在は科学的には立証できないと切り捨てる。科学にとっては、死の恐怖におののく人間感情などは、考慮する価値もないのだ。科学の冷酷さを示す良い例は、世代の交代が頻繁なほど突然変異によって種が進化する可能性が高いことから、個体の寿命は短いほうが良いとし、強者が生き続け、弱者は消えてゆく弱肉強食が望ましいとする進化論的見解である。科学は人間にとって救いも安らぎもない、殺伐（さつばつ）とした知識なのである。

二十世紀になると、数学は不完全で無矛盾性を証明できないとしたクルト・ゲーデルによる数学の絶対性への否定、原子を構成する電子は物質ではないとするプランクの「量子論」、重力で光は曲がる、あるいは時間と空間は立場によって変わるなどとしたアインシュタインの「相対性原理」、物質の正確な位置と運動量は測定できないとしたハイゼンベルグの「不確定の原理」などの一連の発見によって、この世には自然が定めた絶対的法則があるとしたそれまでの考え方は、信憑（しんぴょう）性を失う。そして科学者の間でこの世には究極的な法則など存在せず、すべての現象は統計的な可能性でしかないという考えが広まった。

こうして科学者は究極の真理を追求するのを諦め、観察と正しい研究方法と、厳格な分析から生み出される結論だけを重視する方法論になった。その結果科学は、実験も観察もできない死後の世界については、何の洞察もまた情報も得られなくなり、人にとって最も重要なはずの死の問題は、宗教者と哲学者に丸投げされた。しかしながら、長年人々に来世での救済という慰めを与えてきた宗教はもはや往年の説得力を失い、哲学は思考の迷路の中で出口を見出せず、今なお堂々巡りをしている。

◆テクノロジー信仰

現代に入ると、一般の人々は科学の冷酷さに愛想をつかし、その知識を実用的な目的に利用するテクノロジーを重視するようになる。テクノロジーとは、ギリシャ語の techne（技巧）と logia（学問または知識）が組み合わされたもので、もとは知識を人間の生活に活用することを指し、科学との関連を意味するものではなかった。猿人たちが石ころや棒を道具として使ったのもテクノロジーであり、科学的知識が皆無だったワットが、産業革命の引き金になる新方式の蒸気機関を開発したのもテクノロジーである。

そのテクノロジーが近年になると科学との結びつきを強め、資本主義と組み合わされ、それまでは想像すらできなかった規模での生産活動の拡大を可能とし、人々の生活を豊かにした。またＩＴ技術やＡＩ、そして生命科学の急速な進歩の結果、すべての問題はテクノロジーの適用で解決できるというテクノロジー信仰が広まっている。無病息災はそれまで神が与える最大の恩恵とされていたが、今や生物科学に裏打ちされたテクノロジーによって大方の病は治癒され、二十世紀初頭まで五十歳代が平均だった人の寿命は今や八十歳を超えた。またｉＰＳ細胞で培養された臓器の移植などによって、将来平均寿命は二百歳になると主張する科学者もいる。さらにクローン技術によって、自分と全く同じ個体を作り出せるという仮説も出ている。

◇人為的な延命の弊害

しかしテクノロジーの適用によって病をなくし寿命を延ばすことは、不老不死には繋がらない。人は遅かれ早かれ死ぬのだ。問題なのは、技術的に寿命を大幅に延ばす可能性があると知れば、人は他のすべての有意義な活動を止め、寿命を延ばす治療に全精力と全財産を投入することになりかねないことだ。それは本来、未来の世代に残しておくべき資源を食いつぶすことであり、人類社会の発展は停滞するだろう。そうした兆しは今日すでに、高齢者の過剰な延命措置のために医療費を浪費し、若い世代の負担を増やしていることに表れている。

もちろんのこと、長寿は誰もが望む目出度いことである。しかし死には時間以外に運という要素がある。将来医学の進歩によって平均寿命が二百歳に達し、すべての人が身体的にも知的にも盛りの時と同じ状態を保てるようになったと仮定しよう。それでも交通事故や家庭内での事故、犯罪や未知のウィルスの感染などの不慮の死を完全に避けることはできない。ということは、寿命の延長は、人類にかえって害をもたらしかねないということだ。

人類はこれまで、死の不可避という現実に立ち向かい、自分の死後も残る何ものかを求めて奮闘した。そしてそこから、命を懸けた探検や冒険がなされ、名誉や正義のために命を懸けたり、人類や家族への献身や自己犠牲といった気高い行為が生まれたのだ。学術や芸術をはじめとする高度な文明は、自らの命の短いことを知った人々が、永遠志向に突き動かされ、自己の死に代わる何物かを求めたからこそ生まれたのだ。

もし人間が生命を危険にさらすのを止めてしまえば、その瞬間から人類文明は停滞してしまう。それは生きるのではなく、生に取りつかれることである。人間は高貴な生物であることを止め、自分の命を守ることしか考えない冷血動物になり下がる。

それだけではない。人為的に寿命を延ばせば、人類のさらなる進化を阻害する可能性がある。人類は猿に近い生物が、自然淘汰を経て何百万年もかけて現代人に進化したのだ。現代人は進化の最終的な産物ではなく、より強く、より賢く、より美しい人類が生まれる可能性があるのだ。この進化の過程を、自然が定めた以上に長生きしたいという利己的な欲求で妨げてはならない。今の世代はその責務を果たしたら喜んで次の世代にバトンを渡し、自然がより進化した人類を生み出すことを期待すべきである。要するに科学もテクノロジーも、死の問題を解決できないのだ。

5　永遠志向社会と代替的自己

◆永遠志向が文明を生んだ

自分が必ず死ぬことを知っているのは、人間だけである。死の必然を知ったことは、人間に筆舌に尽くせない絶望をもたらしたが、それは同時に、人類の進歩を促す上で最も重要で画期的なことであった。この時まで人間は、他の動物と同じく自然に身を任せて、安全と食べ物が保障される限り満足していた。しかし生物に生を与える一方でそれを取り上げる自然の摂理の残酷さを知った人間は、それがもたらす苦悩を乗り越えるために自然に対し反逆し、その結果今日の文明を築いたのである。

死の絶望を癒すために人間が作り出した創造物の一つが、死を超越しようとする欲求である「永遠志向」である。多くの動物行動学者は、人間と動物の間には、高い知能以外にはさほど違いがないとする。たとえばオーストリア人でノーベル医学生理学賞受賞者のコンラード・ローレンツは、「攻撃性について」という文章の中で、人間の社会制度は「ネズミや小ガラスや雁（がん）の社会とほぼ同じである」と断言している。しかしそれは、全くの間違いである。自分がいつかは必ず死ぬと知っているのは人間だけである。そしてその死の認識が生んだ永遠志向は、それまで自然界に存在しなかった人間独自の衝動であり、人と他の動物を峻別する最大の要素である。

死の現実が人類の前に立ちふさがった時、永遠志向に駆られた人々は死後も残る何物かと自分とを同一化することで、死を乗り越えようとした。それが部族、国家、宗教、伝統、文化、理念といった文明の産物である。それだけでなく、死の宿命を知ることで、人は同じ苦しみを持つ同胞に対して、哀れみや同情、崇敬（すうけい）、献身といった人間だけが持つ特異な感情を持つようになる。仮に解剖学的、あるいは知能的な面で人間のすべての特徴を備えていても、こうした人間的な感情を持たなければ人間ではない。

永遠志向の生成は、生物進化の歴史の中でも特異なものである。それは通常、本能と呼ばれる自然が作り出した内的衝動と異なり、死を知った人間によって人為的に作り出された本能である。それは人間が自然のくびきから脱して、自らが創造者になったことを意味する。ある意味で人は神に準じる存在になったのだ。その永遠志向の経済への適用が創造経済である。永遠志向の形成は間違いなく巨大な前進ではあったが、そのために人間が払った代償のいかに大きかったことか。スペインの哲学者ミゲル・デ・ウナムーノの『生の悲劇的感情』（Tragic Sense of Life）を読めば、永遠志向と死の葛藤がいかに根深いものかが分かる。

「なんと我々は不幸なのか。不滅の是認を、この不滅への欲求のような不安定でつかみどころのない基礎の上に置かなければならないことは、疑うべくもなく悲劇的な運命である。しかし私は私の魂の本質であるこの不滅の起源を信じている。しかし私は本当にそのことを信じているのだろうか？　そしてなぜ私は不滅になりたいのか？　なぜかとおまえは聞くのか？　正直に言って私はその質問は理解できない。なぜならそれは、理由の理由を、そして原則の原則を問うことだからである」

◆代替的自己を作る

創造経済だけでは、信仰を失い金の亡者となった現代人を、心の底によどむ死の恐怖から完全には解放できない。それは、死をも乗り越える自分の分身である「代替的自己」（自己の分身）を作ることで可能になる。

代替的自己としては、親にとっての子供、芸術家や小説家にとっての作品、科学者にとっての発明や発見、経営者にとっての会社、起業家にとっての新事業などが考えられる。近代以前の日本では、多くの人がそうした代替的自己を持ち、それによって死を超越していた。武士は武名と名誉を重んじ、商人は暖簾（のれん）を守り、一般の人々も家名を汚すまいとして努力するなど、自分の死後も残る何かを大切にしていた。戦国時代に備中高松の城主だった清水宗治(むねはる)は、秀吉による水攻めに会い、城兵を救うため切腹したが、その辞世が「浮世をば 今こそわたれ武士(もののふ)の 名を高松の苔に残して」である。彼だけでなく当時の武士は、武名さえ残るなら命を捨てることも惜しくはなかったのだ。

しかし現代になると、血を分ける親子さえその繋がりは弱くなり、先祖に対する尊敬の念もなくなった。そうした中で近代に入ってからは「君が世は千代に八千代に」という日本の国歌やアメリカの愛国歌「星条旗よ永遠なれ」が示すように、永遠に存続するとされた国家が個々人の代替的自己となり、命を懸けても守るべきものとなった。しかし実際には主たる集団が弱小集団を統合・吸収して形成された近代の国家は、一般庶民を組織の無名な一部にしてしまう統治組織であって、必ずしも個々の国民の生まれ代わりにはならない。

それでも芸術家の作品や学者の学説は、現代においても有効な代替的自己として残っている。たとえば交響曲第九番が演奏される時、ベートーヴェンは生き返り、観客が『ロミオとジュリエット』の舞台に涙すれば、シェークスピアは今でも実在し、進化論を学べばダーウィンは今日でも人々に影響を与える。アレキサンダー大王、ナポレオン、秀吉、ダヴィンチ、アインシュタインなどの天才や偉人の記憶が保存され驚異の念をもって語られる限り、彼らは死なない。彼らは死を超越したのだ。もしこうした卓越した人だけでなく、すべての人が永遠を志向し、自らの功績を歴史に記録するために切磋琢磨すれば、彼らも永遠になり、その業績の蓄積によって人類はさらに高みに上るのだ。

これまでは歴史のページが限られていたため、歴史に記録される者の数は極めて少なく、そのため権力者や偉人といわれる人以外は歴史から除外されていた。しかし今日では、無限の情報を入力し管理できるスーパーコンピューターを使えば、それを望むすべての人の生き様や業績を歴史記録に残すことが可能である。それこそが、最も確実に人々を死から解放するのだ。また創造の蓄積である文化に貢献することでも、伝統の一部となって永遠を獲得できる。かつての匠の作品が国宝や重要文化財として保存され、美術家の作品が美術館に展示されるのがその例である。そうした社会を私は「歴史社会」または「永遠志向社会」と呼ぶ。人々の功績が歴史の一部になるとしたら、そこに足跡を残したいと思わない者などがいるだろうか。

6　歴史民主主義

◆歴史の中での平等を求める権利

永遠志向社会を構築するに当たっての最大の課題は、歴史を公平なものとするための歴史民主主義の確立である。「歴史民主主義」とは、これまでの民主主義の概念とは全く異なる新しい理念である。それはすべての人が、歴史の中での存在と平等を求める権利のことである。人は他のすべての生物と同じく生を求めてやまない一方で、死の必然を知り、その相克の中から、自己に代わり死後も残る代替的自己を探索し、集合的記憶である歴史を生み出した。この歴史を通じて人々は、永遠と不滅を達成する。そして少数者も含め、すべての人に自らの業績を歴史記録として残す権利を保障するのが、歴史民主主義である。

これまでは歴史は、民主主義を称する国でも一握りの特権階級の専有物とされ、権力者と彼に従属する者たちによって独占され、彼らの業績だけが誇張されることで、歴史が事実とは異なったものになることが当たり前であった。イギリスの歴史家トーマス・カーライルは、「世界の歴史は偉人たちの自叙伝にしか過ぎない」と言いきっている。そうしたいわゆる偉人による歴史の独占を防ぐには、自由、平等、圧政への反抗の権利といった従来の民主主義思想に加えて、すべての人に歴史に参与する権利を保障する、私が「歴史民主主義」と呼ぶ、新たな理念を構築する必要がある。

永遠志向社会では、過去の歴史を大切にするだけでなく、自らの実績を歴史に残すことを希望するすべての人々の生き様と業績を記録し、保存し、次の世代に伝えることとなる。国家だけでなく、自治体も、そして企業やＮＰＯ、学会などの組織も、そして家族も、意識してその構成員の記録を保存する。もちろん、その人が何らかの形で社会に貢献をしなければ記録はされない。歴史（history）とは物語（story）の同義語で、後世に語り継がれるには、業績の大小はあっても、何か物語になるだけの実績が必要である。家族の場合、母親の子供への慈愛や父親の一家のための自己犠牲、そして夫婦の間の限りない愛も、物語になる。

企業の場合、その発展に顕著な貢献をした役員や職員の功績は、当然に語り継がれる。芸術家が作り出す芸術作品や科学者が生む発見も、歴史の一部になる。奉仕活動で不幸な人々を助けるために献身した人、危険を冒して人命救助した人も、歴史に記録されるべきだ。そうした歴史記録を残す社会ができれば、人々は皆後世にも残るような功績を上げ、善行をなすため努力する。そうした歴史に目覚めた人は、当初はそう多くないかもしれないが、創造経済の発展と永遠志向社会の確立によって、その数は次第に増えるだろう。それによって社会は、創造を通じて人類に貢献する意欲に満ちた人々、世の中の悪をなくすために奮闘する勇気ある人々、芸術などを通じてより豊かな文化を作り出す人々、そして限りない人類愛で世の中を明るく住みやすくする人々で溢れるだろう。天才、英雄、偉人、名人、そして世のため人のために尽くす人々を輩出するのだ。

そうした永遠志向社会を、金儲けという次元の低い動機で動く今日の資本主義社会と比べれば、それがいかに高貴な社会であるかが分かる。歴史を意識した社会では、自分が生きている間だけよければ後はどうなっても構わないという、現代の無責任な刹那(せつな)主義に代わり、長期的な視野で、子供や孫の行き先を案じ、そして未来の社会をより良くするため貢献することが、人として当然の責務だという自覚が生まれる。おそらくそれが、永遠志向社会の最大の利点だろう。

◆歴史に生きる

今日の民主主義は、現在生きている人だけを視野に入れた短視的な政治理念である。それに対し、歴史民主主義は、過去、未来を視野に入れた長期的ビジョンに基づく政治思想である。永遠志向社会で人が最も強く求めるのは、個人としての自己の業績を後世に残すことであり、歴史もすべて個人または個人の集合体を基礎として成り立つ。その個人を全体に従属させ、あるいは個人の業績を無視することは歴史民主主義と相容れないのだ。歴史の中での存在に意義を見出す社会では、人は歴史への参加の自由を求め、それを阻む専制に対しては命を懸けて抵抗するだろう。歴史民主主義の構築には多くの試行錯誤と挫折が伴うと思われる。しかし永遠志向という人間だけが持つ本能に目覚めた人々は、いかなる困難も超えて、永遠志向社会と歴史民主主義を築き上げるだろう。

現在の資本主義社会のように、人々が死からの逃避にのめり込み、現実を見ようとしない社会では、権力者が国家や民族の名を利用して人々を扇動し権力を握り、独裁政治を行うこともありうる。しかし歴史の中での存在に価値を見出す社会では、人は歴史への参加の平等を求め、その過程で独裁には徹底的に抵抗する。歴史民主主義は政治的圧政からの完全な解放と同時に、死を定めた自然の摂理からの解放も目指すのだ。それは最終的かつ究極的な政治改革なのだ。

歴史民主主義には、今一つ重要な役割がある。それは家族の歴史を重視するのは良いとして、先祖の功績の多寡によって人が差別されるのを防ぐことである。もし先祖の功績や過ちが子孫の人としての価値に影響するとすれば、生まれによって差別された身分制度が復活することになりかねない。それを防ぐには、人は生まれながらに平等であるとする民主主義の原点に戻り、すべての人が過去の世代に縛られず、自らの歴史を構築する権利があることを強調する必要があるだろう。永遠志向社会では、歴史は過去ではなく、未来を意味するのだ。

言うまでもないことだが、歴史民主主義の確立には、第二章で述べた創造経済への転換を欠かすことはできない。そこでは創造の産物が生産の主流を占め、ハイテク産業と人工知能（AI）が人間に代わって労働をすることで、人々を不本意な労働から解放し、芸術創造産業（ACI）によってより多くの人が創造活動に従事し、非営利団体（NPO）が営利を超えて社会に貢献し、ベーシック・インカム（BI）によって貧困が撲滅され、すべての人にゆとりある生活を保証する。それにより、奴隷の存在によって雑務から解放され、政治や創造に没頭できたアテネ市民のように、一般の人々が政治に時間と関心を割く可能性は大きいだろう。その結果、人々は現世での自由と平等に加え、歴史の上での自由と平等を求めることで、歴史民主主義の基礎を確固たるものとする。創造経済の確立は、歴史民主主義と永遠志向社会の構築の絶対的な前提条件なのだ。

7　歴史の伝達

◆歴史の細分化

歴史の伝達における問題は、後世の人々が歴史記録を見てくれるかどうかである。誰にも見られない記録は、単なる記録にしか過ぎない。記録は後世の誰かに見てもらうことで、初めて歴史になるのだ。もちろんすべての人の歴史をすべての人に見てもらうことは不可能である。おそらくは歴史社会においても、大多数の人は卓越した業績を上げた人など、いわゆる歴史的な人物にしか興味を持たない可能性が高いのだ。

そうした中で、ともすれば忘れられがちな普通の人々のささやかな業績を知ってもらうためには、歴史の単位を細分化して、家族や地域、企業、業界、学会などの小さな単位が、それぞれの歴史を構築することが必要となる。たとえば両親や祖父母などを含む祖先の歴史は、家族にとっては、自分のルーツを知る上で貴重なものである。それは自分が連綿と続く一族の一員であることを習うことで、その伝承者としての誇りと責任を自覚させる。また地域の発展に尽くした人の記録は、その地域コミュニティの独自性を保つ上で、大切な知識を教えてくれる。

企業を繁栄に導いた先輩の功績を知ることは、後輩社員にとってかけがえのない勉強になるであろう。スポーツの場合、各分野ごとの詳細な記録を残すことが、選手に目標を与え、その分野のさらなる発展に繋がる。個々人の歴史はまた、歴史学者が国や民族の全体的な歴史を書く時、過去の人々が何を考え、どう行動したかを正しく把握する上で、貴重な資料になる。歴史国家は、そうした細分化された歴史の保存にも責任を持つのだ。

永遠志向社会においては、今日教会や寺院において神仏の福音や教えについて説教がなされるように、過去の人々の歴史を回顧し、皆で共有する習慣が定着するのではないかと期待している。家庭においても、祖先の生き様を子供に伝えるのが、家庭教育の軸となるだろう。それは明日は我が身で、いつかは自分の歴史が回顧される可能性を保障するのだ。そうした行為を通じて、人は死後も歴史の一部となって存在し続けることを実感する。お盆などで先祖の霊を迎える慣習を持つ日本人なら、世代を超えた家族間のコミュニケーションの重要性を理解できるはずである。

◆家族の歴史

歴史単位としての家族は、当然にその歴史が必要となる。以前はそうした家族の歴史は、口伝として語り継がれることが多かったが、歴史社会では記録として保存される。多くの人は自らの歴史を自叙伝という形で残すだろう。私も妻とやり取りした手紙を中心に、家族の歴史を『鴛鴦（おしどり）の思い羽』（上下巻）という題で纏（まと）め、朝日新聞の自分史事業として製本し、悠光堂から出版した。自分で書けない人は、代わりに伝記作家に依頼する。家族の誰かが代表して家族全体の歴史を記録することもあるだろう。

臼井雅美氏の『赤バラの街ランカスター便り』（ＰＨＰエディターズ・グループ）によれば、イギリスでも自分史（life writing）が空前の大ブームで、そのためのセンターが次々に大学に設置されたり、短期間コースやセミナーが開催されている。またその手引書まで出版され、ゴーストライターを雇って出版することもあるとのことである。そしてそれが家族の文化として世代を超えた絆を作り出す。

そうした家族の歴史はまた、歴史家によって取捨選択され、地域の歴史、あるいは国の歴史の一部となり、永久保存され、民族共通の記憶の一部となる。

8　民主主義の立て直しと直接民主主義

◆間接民主主義の機能不全

歴史民主主義確立の前提となるのが、今ある民主主義の強化である。現行の民主主義の基盤を確固たるものとしないままで永遠志向社会を構築すれば、権力者によって歴史が歪められ、歴史民主主義が有名無実になる危険がある。個人の自由と平等が確保されて、初めて歴史の上での自由と平等が可能となるのだ。

一言でいえば、民主主義とは、多数者が支配し、それでいて少数者の意見も尊重される社会である。問題は今日、その民主主義が大きく揺らいでいることだ。これまで民主主義の盟主を自任していたアメリカで、大衆の感情に訴えるポピュリストが大統領に選ばれ、議会制民主主義の手本といわれたイギリスが、民主主義の普遍化を目指して結成されたEU（欧州連合）から脱退し、EU域内でも排他的な民族主義政党が力を増している。

また中国のような一党独裁国家が世界第二位の経済大国となり、ロシアを抜いてアメリカに次ぐ軍事大国にもなろうとしている。日本でも安倍長期政権によって、議論をせずに議席の数の力でごり押しするのが恒例化している。私は今から五十二年前にジョージタウン大学大学院に留学していた当時、現代の民主主義は、アメリカの独立宣言やフランス革命の人権宣言など二世紀以上も前の古い理念をそのまま踏襲しており、激しく変化する時代に対応できなくなっていることを論文で指摘したことがあるが、今でもその考えは変わっていない。民主主義も時代に適応して変化させる必要があり、本書で述べる歴史民主主義の構築はその試みの一つである。

今日、民主主義が直面している最大の問題は、政治的な決定を選挙で選ばれた政治家にゆだねる間接民主主義が、機能不全に陥っていることだ。日本の例を採れば、国会に立候補するには金と組織が必要であり、その結果議席のほとんどは既成政党に属した世襲議員を含めた職業的政治家や、圧力団体の代表に独占され、一般の人々は一票を投じる自由しかないのが現実である。二〇一七年の衆議院選挙では、与党自民党の議員の二八・三％に当たる九四人が、三等親以内で同一選挙区から出馬した世襲議員であった。すべての人に平等に機会を与えるのが民主主義であり、さもなければ生まれによって社会的地位が決まる身分制社会になってしまう。同様に労働組合や宗教団体、経済団体などの圧力団体の支持で当選した議員が増えることは、本来全国民を代表するはずの国会議員の在り方としては、好ましいとはいえない。

◆多数決制度の矛盾

それと並んで問題なのは、民主主義の根幹である多数決の原則が矛盾だらけなことだ。たとえば現行の議会制度では、対立候補より一票でも多くの票を獲得した候補者が議員となり、さらにその五〇％以上が議会において賛成すれば、法律が制定され総理大臣が選ばれる。そのことは、有権者の四分の一の支持があれば、政権が変わり、政策や法律が制定される可能性があるということだ。二〇一七年の衆議院選挙では、与党が議席の三分の二を得て大勝したが、与党に投票した率（絶対投票率）は小選挙区では二四・九％に過ぎなかったのだ。

それでも与党が良識をもって野党の意見も聞き妥協点を見出す努力をすればよいのだが、数を頼んだ強引な議事運営がなされると、国民の大半が反対していた安保関連法案が可決され、与党支持者の多くも反対したカジノ法案が、国会で十分な議論もされずに採択され、憲法第九九条で憲法を順守することが義務付けられているはずの総理大臣が、その改正を強引に主導するといった、非民主主義的な現象が起きる。これでは多数決の原則は意味を失い、人々は政治に失望し、民主主義は形骸化してしまう。州ごとに選出される選挙人が大統領を選ぶアメリカの大統領選挙でも、得票数が対立候補より三〇〇万票も少ない候補者が大統領に選ばれるという矛盾が生じている。こうした矛盾を改善するためには、候補者が多数いる場合は、上位二人による決選投票制度を導入するのも一案であろう。

◆直接民主主義への回帰

ではどうすれば民主主義を立て直せるのか。あらゆる場合において、迷った時には出発点に戻るのが最善の選択である。従って民主主義に疑問が生じたら、その原点に戻って考えるべきである。そして民主主義という政治の仕組みは、紀元前数百年も前の都市国家アテネで生まれたものである。さらにいえばアテネで芽吹いた民主主義は、政治家が政治を牛耳る間接民主主義ではなく、一般市民全員が参加して政治を決める直接民主主義だったのだ。紀元前五世紀はじめのアテネの人口は、自由市民三万人、外国人三万人、そして奴隷が七万人とされている（"Population and Economy in Classical Athens" Ben Akrigg）。そして自由市民の十八歳以上の成人男子だけが、直接議論をして政治的な事項を決定していた。また公務員や役員はくじ引きで決められた。また万一、僭主（せんしゅ）といわれる独裁者が現れる危険を考え、貝殻裁判（著者注：貝殻に人名を書いたことからこの名前が付いた）という秘密投票で、好ましくないとされた人物を十年以上国外に追放する仕組みもあった。それは政治家による権力の独占を防ぐ仕組みであった。

多くの人が政治にもっと関心を持ち、正しい政治判断をし、きちんと投票するなら、現行の制度でも民主主義はそれなりに機能するだろう。しかし世襲や既得権団体に支配された選挙によって議員の質が低下し、議論もろくにされずに議席の数ですべてが決まる政治に対して、人々の間で不信感が広まっている。民主主義を改めて活性化するには、職業的な政治家だけに政治を任せず、国民が直接統治に参加する直接民主主義的な仕組みの導入が必要なのだ。「世界人権宣言」第二一条は、人は「直接に又は自由に選出された代表者を通じて、自国の政治に参与する権利を有する」として、直接民主主義を認めている。

厳密にいえば直接民主主義とは、①住民または国民が自ら法律案を提出できる、②住民または国民全員の投票をもって最終決定とする、③住民投票または国民投票によって公職にある者を解任できる、の三つの要件を備えた政治体制である。しかし現在、この三つの要件全部を満たす制度を導入している国はない。

スイスでは、国民が議会に法律案を提出し、国民投票ですべての重要案件を決定する直接民主主義制度を採っている。イタリアや新たに民主化された東欧諸国も、同様な国民投票制度を採っている。また日本でも、憲法の改正には国民投票が義務づけられており、最高裁判所の判事は、任命後十年を経過した後に行われる衆議院議員選挙の際、国民の審査を受ける。地方自治法では、町村議会を置かずに住民の直接参加による町村総会を設置することが認められている。直接民主主義は、すでに現実に存在し、実際に稼働しているのだ。

◆直接民主主義が生む政治への関心と参加の意欲

原則論からいえば、直接民主主義こそは国民の意思を最もよく反映する、本来の民主主義のあるべき姿である。フランスの思想家ルソーなどは、直接民主主義だけが真の民主主義だと断言している。しかし近代民主主義の基礎となったアメリカ独立戦争やフランス革命当時には、広大な国土を持ち人口も多い国で、一般市民全員が政治にかかわる直接民主主義を導入するのは、物理的に不可能だった。また教育が普及しておらず、識字率が低かった状態で、一般市民が理性よりは感情に流されるポピュリズムに陥る可能性も高かったため、間接民主主義制度を採り入れるしかなかったのだ。

しかし教育が普及し、SNSなどの通信手段の発達によって、地理的な障害を超えて国民が意見を交換することが可能な今日、改めて直接民主主義導入の可能性を検討する時が来たのではないだろうか。特に来るべき永遠志向社会では、人々が国民の意見を最もよく反映する制度である直接民主主義の採用を希望することは間違いない。そのための準備としても、今からでもできる範囲内で実験的に直接民主主義を取り入れてゆくのが良策であろう。

たとえば憲法で全国民を代表することになっている国会議員は、現実には所属政党や自分の選挙区、後援組織、圧力団体などの利害を優先しており、全国民を代表しているとはとても言えないのが現実である。この欠陥を是正するため、最近導入された裁判員制度のように、無作為のリストからくじで選ばれた市民を投票権なしで国会の審議に参加させることも考えられる。それは最も効果的な政治教育の機会となろう。

また重要な法案を国民投票にかけたり、一定数の署名があれば一般人やNPOが法案を国会に提出できるスイス型の制度の導入も考慮すべきである。カナダやオランダでは、くじ引きで選ばれた市民が、選挙制度改革案をまとめた事例も起きている。これらは憲法を改正しないでも法律で決められる事項である。特に民主主義の根幹をなす地方自治については、最近地方選挙での投票率が低下し、無投票で当選する議員が増えているが、これは民主主義の危機を象徴しているといえよう。

地方自治を確固たるものにするには、規模が小さく議員のなり手が少ない自治体では、地方自治法第九四、九五条に基づき、議会に代わって住民参加による町村総会を開くことを奨励すべきである。また地方自治法を改正し、地方議会の議員の一定数を、選挙ではなくくじ引きで決めるのも一案である。それは古代アテネのくじ引き制度の復活である。市民たちが自分たちこそが主権者であることを自覚すれば、政治への関心と参加の意欲が高まり、民主主義は新たな活力を得て再生するだろう。

9　歴史国家と直接民主主義

◆国家の永遠化

これまで見てきたように、創造経済が確立され、永遠志向社会が実現すれば、貧困は姿を消し、人々は意にそぐわない労働から解放され、かつてのアテネ市民のように、政治に時間と精力を割くことになるだろう。そうした環境では、直接民主主義こそが最も合理的で有効な政治制度となる。もちろん直接民主主義には、問題もある。古代アテネでもたとえば哲学者のプラトンなどは、直接民主主義を衆愚政治だといって嫌っていた。

直接民主主義には、①全員が十分議論を交わすことが物理的に不可能なこと、②調整役としての政治家や議会がないと、多数の異なった意見が出た時に合意に達しない可能性があること、③少数者の意見が無視されがちなこと、といった短所もあるのだ。

しかし永遠志向社会では、こうした問題は直接民主主義導入の障害にはならないだろう。①の意見の交換が物理的に難しいという点については、ＳＮＳなどの高度通信技術の発達によって、国民全員が意見を交換することも可能である。②と③については、憲法裁判所を設置し、あるいは有識者からなる諮問委員会を併設することで解決できる。電子投票システムが実用化されれば、投票に際しての地理的な不便さも解消され、投票の回数を増やすことで、国民の意見をより頻繁に聞くことも可能になる。

それ以上に重要な点は、人類への貢献によって自らを歴史的存在にすることを目的に生きる永遠志向社会の人々の関心は、利己的な資本主義の下での現代人と異なり、人類のさらなる発展と人々の幸せの確保に向けられ、政治的にも合理的かつ客観的な判断をするということだ。永遠志向社会の人類は現代人のような自己中心主義を捨て、今より賢く、そして高徳になるのだ。そしてそのための政治教育が導入され、歴史ジャーナリズムが確立されれば、直接民主主義制度は、順調に機能するだろう。

そうした来るべき社会での人々の最大の関心は、歴史の中立性と正確さの確保に向けられる。そしてそれを保障する責任を持つのが、歴史の保存と伝達を主たる任務とした「歴史国家」である。

国家（Nation）とは通常、国境線で区切られた独自の領土と、そこに住む国民に対して排他的な統治権を持つ政府からなる集合体である。現在のところその機能は、社会秩序を維持し、経済の発展を促し、国民の福祉を向上させ、そして外敵から国民を守ることにある。今日国際社会はこれらの国家で構成されており、日本政府が承認した国家の数は一九六ヵ国に上る。特に近代に入ると、同一の民族からなると称する民族国家が生まれ、国はあたかも個々の細胞が死んでも全体としては形を保ち続ける複合体として、永遠に存続すると考えられるようになった。そして国民は自分が死んでも国家を通じて永遠に生きると考える。これが愛国心という、国家に対する熱烈な忠誠心を生む理由である。

しかし実際には国家の多くは、優位に立った集団あるいは多数派のグループが、弱小の民族や文化を圧殺し吸収することで形成された、力による統治機構でもある。その意味では現行の国家は、権力を持つ個人またはグループが社会を支配する仕組みであり、その歴史も権力者が恣意的に作り上げたもので、国民全体の記録とは限らない。人々が国家の持つこの負の面を理解し、それを監視し、抑制する努力を怠ると、個人の権利や人権を無視する独裁政権や、少数者や他国の人々を圧迫し排除する偏狭な民族主義が生まれ、結果として多くの人が歴史から排除される。

それでも権力者や特権階級だけでなく、すべての人々の歴史が尊重される歴史民主主義が定着すれば、国家は真の意味で時代を超えた共同体となり、国民に歴史を通じて死を超えた連続を保障する仕組みになり得る。それが歴史国家である。そしてそれは国家の真の永遠化を意味する。

◆歴史国家のあるべき姿

今日最も歓迎される国家の形態は、国民一般の福祉、教育、生活、健康を保障する福祉国家である。しかしそうした機能は、必ずしも強制力を要しないものであり、国よりは住民の生活に密着した地方自治体に任せたほうが効率的である。今日国の重要な責務とされる経済も、企業の自主性と市場の自律性を本旨とする創造経済では、国の役割は限定されたものになるだろう。そうした中で、歴史を記録し保存し、次の時代へ引き継ぐことが、国家の存在を正当化する最大の理由になる。

歴史国家においては、それを欲するすべての国民の記録を保存し、次の時代まで残すことが最大の責務になる。そこでは歴史を保存し、自由な閲覧を可能とする歴史記念館が置かれるだろう。今ある博物館、美術館、図書館、古文書館、記念館そして寺社仏閣といった歴史保存機関の機能を強化する必要もある。そして歴史裁判所のような組織も不可欠であろう。それに、歴史を記録し、保持することを使命とする専門家の養成が緊急の課題となる。それが歴史を権力者の恣意から守る歴史家や歴史ジャーナリストであり、歴史裁判官であり、歴史学に精通し、歴史の検索をする仕組みを管理する歴史司書である。

信仰が敬虔な聖職者なしには存在しえないように、永遠志向社会を維持するには、歴史の擁(よう)

護者である献身的な歴史の専門家が必要なのだ。そうした組織を構築し、維持し、運営するには、膨大な労力と莫大な資金が必要になるだろう。しかし国民に死を超越する機会を与えることで究極の幸せを保障し、国家に対する愛着を確固たるものにできるなら、いかなる経費も労力も安いものである。かつて巨大な寺院や教会が国家事業として経費を無視して建設されたように、歴史の維持と伝達、そして検索は、国を挙げての壮大な事業になるのだ。それはまた歴史産業とでもいうべき巨大なマーケットを生み出すだろう。

◆歴史国家としての日本

歴史の中核をなすのは人々の記録で、永遠志向社会では国家がそれを保持する責任を負う。国や自治体、家族、企業、学会などの組織も、その構成員の功績を歴史として纏めることが義務となる。そしてそれらの歴史記録が公正であることを確保する、歴史認定制度も必要となるだろう。

歴史国家という概念は必ずしも新しいものではない。我々が自覚しているかどうかは別として、日本は間違いなく歴史国家である。それを象徴するのが皇室で、万世一系を原則として少なくとも千五百年以上にわたり日本に君臨してきた。日本人が皇室を尊敬するのは、それが日本の歴史を象徴しているからである。

私の母方の祖父である河野昭三は、伊予（現在の愛媛県）の国司、守護大名として威を振るった越智姓河野家九二代を名乗っていた。これこそまさに歴史国家の一例である。ヨーロッパなどでも、自分たちの祖先に誇りを持つ人は多く、移民の国アメリカでも、最近祖先をたどる家系学（Genealogy）に関心が集まり、大きなビジネスになろうとしている。歴史国家は歴史の保持を通じて、人は一代で終わるのではなく、連綿として未来に繋がっていることを確認できる制度となるのだ。

10　現世に来世を創る

◆来世とは何か

来世（after life または after world）とは、死んだ者の魂が神仏に救われ、永遠に存続する世界のことで、キリスト教、イスラム教、仏教などの普遍的宗教に大筋において共通した教義である。仏教の場合、その始祖である仏陀は、必ずしも来世の存在を説くことはなかったが、彼の教えを継承し仏教を普及させた各宗派のほとんどは、極楽と地獄からなる来世思想を唱えている。そして敬虔な信者たちは、自分たちは死によって無になるのではなく、永遠の存在が保証されていると信じ、平和と豊作が続く限り幸せな生涯を送っていた。宗教とその来世思想こそは、死に直面した人類がその宿命を克服するために創り出した、最も効果的な仕組みである。

しかし宗教は、人がなすべきことは神仏を信じることだけだという、思考停止的な自己満足を生み出し、人から自らの力で将来を切り開くという積極性を奪い、その結果、人類の知的な活動を停滞させた。宗教は、救いと同時に進歩の足かせにもなったのだ。このためヨーロッパでは、神を理解しそれを自らの意思で実現しようとする新教（プロテスタント）が生まれ、それにルネサンスが生んだ理性と合理性を重視する人本主義（ヒューマニズム）が結び付き、実証や観察もできない魂や来世での存在に対する疑問が生まれた。そして実証を絶対とする科学思想の広がりとともに、次第に多くの人が、宗教と来世を信じなくなるか無関心になったのだ。

◆歴史という来世

では、私がここで主張する現世での来世とは何なのか。人にとって死は、逃げることも忘却することもできない、絶対的な宿命である。それでも永遠志向に突き動かされる人間にとって、生きることを諦めることはできない。しかも死からの逃避は、どれも死を完全には忘れさせてくれない。従って信仰を失った者にとって残された唯一の道は、自分で死後も続く世界を作り出すしかない。そしてもし永遠志向社会が構築され、すべての人が自分の生きた証を歴史に残すことができれば、死は自己の存在の消滅ではなくなるのだ。

しかも改竄（かいざん）がほとんど不可能なブロックチェインという技術もすでに実用化されている。もしそうなら、人の記憶はデジタル化され、人類の記録の一部となって歴史として永久に存続する可能性があるのだ。それは触れることも見ることもできない宗教の来世と違い、自ら見て確認できる来世である。こうして人は、死を超越し、究極の幸せを獲得するのだ。もう絶望するのも忘却するのも止めて肉体の死を受け入れ、代わりに抽象化された自分の精神を現世に残そうではないか。そして自らを永遠にしようではないか。

これが現世での来世である。そこでは人は過去の人々の生きた証である歴史を、神仏に対するのと同じに崇敬の念をもって扱う。それは宗教的な来世と競合するものではない。これからは信仰を持たない人がさらに増えると予想される。そうした中で、歴史という現世における来世を提供することで、多くの人を絶望の淵から救うのだ。信心深い人でも、実証ができない来世について何となく疑問を感じる時があるはずである。そうした時にも、歴史によって死後も確実に自己を存続させるという考えは、セーフティネットの役割を果たすだろう。

◆歴史の審判

現世での来世には、死の超越に加えて今一つ大きな機能がある。それは人の行動を律し、善を行わせる機能だ。宗教が強い影響力を持った社会では、万能の神仏を欺く(あざむく)ことは不可能とされ、人は神仏の裁きを恐れて善行を積もうとする。しかし宗教の弱体化に伴い、そのような絶対的な審判の場がなくなると、人の目をごまかし、法の網をかいくぐれれば何をしてもかまわないという、現代社会に見られる道義的退廃を生む。

それに対して永遠志向社会では、歴史的事実が厳格に管理保存され、事実が公平に記録される限り、人々は自発的に身を慎み、公共の利益に奉仕する。それは神に代わり歴史が裁きを下すからだ。歴史は個人やグループの功績だけでなく、悪行も末代まで伝える。そしてどのような欺瞞も、時代の洗礼によって暴かれる。歴史の審判が人々の正義感と公徳心を支え、悪しき行いを防ぐのだ。まさに「天網恢恢疎にして漏らさず」である。現世における来世は、永遠志向社会における精神的な大黒柱なのである。

11　永遠志向社会での生活

◆長期的視野に立つ社会

では永遠志向社会での人々の生活はどう変わるのだろうか。おそらく現代人の生活との一番の違いは、死後の存在を確信した人々は、自分の生涯を超えた長期的な視野に立って行動することであろう。逃避に明け暮れ、死後のことは考えようともしない現代人は、自分の生涯を単位とした短期的な視野しか持たないため、次の世代に対して平気で無責任な行為を行う。

それに対し、永遠志向社会の人々は、絶えず自分たちの子孫や人類全体を視野に入れ、そのために良かれと思われる行動をとる。今日では国や企業などの大きな組織でも通常、計画は会計年度の範囲内に留まり、長期計画といってもせいぜい五年か十年先程度しか想定しない。それ以上の長期計画は環境条件等の変化から非現実的だと考えるのだ。

しかし現代人が長期の計画を嫌う本当の理由は、計画が達成される前に自分が死ぬ可能性があることを考えるのが嫌なためである。

壮大な計画は、世紀単位でなければ達成できない。アントニ・ガウディが設計したバルセロナのサグラダ・ファミリア教会は、一八八二年に着工し、完成は二〇二六年を予定している。自分の短い生涯を基準としていては、大事業は達成できないのだ。それと同様に、自分の存在が歴史を通じて未来に繋がることを確信した永遠志向社会の人々は、長期的なビジョンに基づき行動する。自分の生きている間には事業の完成を見届けられない場合でも、その事業に何らかの貢献をすることで、事業の完成とともに歴史に自らを刻み込めると考えるのだ。そこでは長期計画は単なるスケジュールではなく、夢と理想になる。

こうして幾世代もの努力の積み重ねで、宇宙探索、火星移住計画、恒久平和、疾病と貧困の撲滅、環境の改善、美と創造に満ちた社会の構築などという壮大な夢を達成するのだ。それが自分の生涯の範囲でしかものを見ない現代人と、永遠志向社会の人間との違いである。

◆永遠志向社会における最小単位としての家族

今一つ大きく変わるのは、家族の在り方である。家族とは通常婚姻によって結ばれた夫婦とその子供、それに生計を共にする親族からなる集団を指す。近年においては、そうした標準的家族に加えて、単身家庭、片親世帯や子供のいない世帯、さらには同性婚まであり、多様化している。家族の在り方を決めるのは個人の自由であり、標準的な家族観を押し付けるつもりはないが、永遠志向社会の観点からすれば、歴史の担い手である親とその継承者である子供からなる家族が最も自然な姿であることは間違いない。

近代に入り個人主義的傾向が強くなると、それまでの血縁で繋がれた拡大家族が分裂し、両親と子供だけからなる核家族に変化した。その結果家族とその文化は崩壊し、家族は単なる家計を共にする集団となり、世代間の疎外感と人々の孤独感は強まった。しかし歴史社会においては、家族の最も重要な機能は、家族の歴史を保持し伝達することとなる。血縁によって結ばれ、共通の伝統と歴史を分かち合う家族は、理想的な歴史の単位である。

そうした「歴史家族」はかつては当たり前のことだった。江戸時代まで日本の武家の家族は、父子相伝といって、父親と子供を中心に形成され、家訓と系図を通じて家族の歴史が伝えられていた。子供は単に愛情の対象であっただけでなく、家族の歴史の担い手であり、親は子供を通じて死を超越すると考えられていた。

そうした親子の繋がりは、ヨーロッパでも同じだった。子供を通じての不死という考えの典型的な例が、フランソワ・ラブレーの小説『パンタグリュエル物語』中に出てくる。父親が息子に宛てた手紙の中で、「両親が失ったものが子供の中で存続する。そして孫の中には彼らの父親が失ったものが、と言うように、最後の審判の日まで続けられる」とし、「私の魂はこの有限の住処（すみか）を去ってゆくだろうが、私としては自分が全く死んでしまうとは考えない。なぜならお前の中で、そしてお前によって、この世で生きている私自身の像を通じて存続すると考えるからだ」と述べている。これが歴史の単位としての家族の在り方である。

そして家族が集まり祖先の生き方や業績を思い出し、子孫への期待と夢を語り合うことほど、過去と未来の連続、そしてその媒体としての家族の存在を強く意識する瞬間はない。そこでは一個人の短い生涯は、綿々として続く家族に組み込まれ、永遠の存在となる。家族がそのような歴史単位として復活した時、個人は死を克服するのだ。

核家族が一般化するまでは、家族の歴史的機能は当然のものであり、人々は自分たちの祖先を誇りとし、それを辱（はずかし）めまいと努力した。そして家族の基盤を固め、その名声を高めること以上の喜びはなかったのだ。そして歴史家族の復活によって、人々は自らの努力と功績が家族に称賛され、子孫に語り継がれることを期待して、切磋琢磨する。そこにはもはや孤立した個人はなく、家族の一員であることへの誇りと、家族の存続によって保障された自己の永続への自信に満ちた新たな人間が出現する。

今日では、共働きの家庭が増え、三歳児未満の乳幼児の託児が当然のこととして行われている。しかし親子の相互の愛情が最も強まるこの時期に、乳幼児を長時間親から引き離すことは、永遠志向社会では問題になるだろう。それは子供が家族の歴史や価値観を身に付ける機会を逸することでもあり、家族の歴史的な繋がりを断絶させることになる。国連で一九五九年に採択された「子どもの権利に関する宣言」の第六条の中で、「幼児は、例外的な場合を除き、その母から引き離されてはならない」と謳っている。

ＡＩの導入によって意に沿わない労働から解放され、ベーシック・インカム制度によって生活費を稼ぐために働く必要がなくなる永遠志向社会では、両親が育児に時間を割くのはそれほど難しくなくなる。こうして自らの代替生命ともいうべき子供に惜しみなく愛情を注ぎ、家族の歴史と文化を伝え、人格形成のための教育をすることが、両親にとっての責務であり、生きがいとなるだろう。家族こそは、永遠志向社会の最小の、しかし最も重要な単位となるのだ。

◆変化する「人生の目的」

永遠志向社会では、家族の在り方に加え、生活の在り方が根本的に変化する。生きる目的を見つけられない人が多い今日の社会と異なり、死を超越する可能性を知った人々は、明確な目的を持ち、充実した有意義な生涯を送るだろう。教育と社会経験を通じて基礎的な能力と知識を身に付けた若者は、自らが選んだ目的に向け、一心不乱に邁進するのだ。今日多くの人を惹き付けている権力や富、人気、快楽そして安寧といった世俗的な目的は、永遠志向に駆られた者にとっては取るに足らないことである。それらは浮き草のように儚いものである。巨万の富も墓より先には持って行けず、万人を震え上がらせた権勢も死ねば露のごとく消え去る。人気などは、明日には忘れられる運命にある。快楽も刹那の空虚な喜びにしかすぎない。

永遠志向に目覚めた人は、もっと永続的な目的を持つのだ。それは生活の保障とか金儲けといった矮小なことではなく、人類をさらに強く賢くそして美しくすることであり、そのために自分が貢献することで歴史の中での地位を確保することである。歴史に目覚めた彼らは、地球上から疾病や貧困をなくし、戦争や暴力を根絶し、自然を守り、真実を追求し、美を創り出し、宇宙をわがものとするのだ。彼らは歴史の正義が守られ、業績が公平に記録され、後世において評価されることを信じる限り、いかなる困難にも耐えるだろう。

永遠志向社会では、多くの人々の関心は創造に向かうだろう。芸術家の作品はもちろん、科学者の新たな発見、哲学者の新たな思想、技術者の画期的な発明、宇宙飛行士による宇宙探索、職人の心のこもった作品、企業家にとっての新事業、政治家や行政官にとっての公正な制度、ボランティア活動などは、すべて創造である。子供を育てるのも創造である。その創造を通じて多くの人々が自己の永遠化を目指し、その過程で人類文明は限りなく豊かになるのだ。創造こそは最も広く開かれた永遠への道である。

◆万人が幸せになる社会

しかしすべての人が歴史に関心を持つことはないだろう。何時(いつ)の時代でもそうであったように、永遠志向社会においても平穏な生活に満足し、歴史よりは神仏への信仰に心の安らぎを求める人が多数を占めるだろう。そうした生き方を選ぶのも人としての権利であり、永遠志向社会は彼らにとっても住みやすい場でなければならない。実はこうした野心を持たない人こそが、社会の安定を保つアンカー（錨）の役割を果たすのだ。もしすべての人が歴史の中に場を求めれば、世の中は過度の競争で、窮屈なものになってしまう。そうした中で野心のない人たちは、永遠への戦いに疲れた戦士たちに、この世にはもっと単純で平凡な幸せがあることを思い出させてくれる。彼らは永遠志向社会に多様性を与え、ノスタルジックな憩(いこ)いの場を提供する。そのためにも、ベーシック・インカム制度の導入によって、すべての人が分け隔てなく貧困から逃れ、安心して生活できる環境を作る必要があるのだ。

永遠志向を目指して奮闘した人々も、やがては年とともに体力、気力が衰え、人類への貢献も創造もできなくなる時が来る。しかし永遠志向社会の高齢者は、おそらく最も幸せな人になるだろう。歴史を通じて現世での来世が確立された世界では、実績を上げた高齢者は、近づく死を恐れることもない。なぜなら死後も歴史に自分の足跡が残ることを信じるからだ。こうして残りの人生を何の憂いもなく享受できるのだ。そして共通の歴史で結ばれた家族や仲間に囲まれ、悠々自適の日々を過ごす。先行きが短いことを除けば、老齢期こそ生涯の収穫を楽しむ最も充実した時期である。

この世で最も幸せなのは、怠惰と無為を罪の意識なく楽しめる人である。そして人類への義務を果たし、死を超越した永遠志向社会の高齢者こそ、この至上の幸福を味わえるのだ。そして彼らは叫ぶ。死よ、どこにお前の勝利があるのかと。

12　永遠志向社会の教育

◇多様性を尊重する教育

永遠志向社会では、家庭教育の重要性が再確認されるだろう。今日の家庭教育は単なる学校教育の準備程度にしか考えられておらず、しかもそれは、子供を社会に適応させる非家庭化の過程である。それに対して永遠志向社会での家庭教育は、子供に家族の歴史、伝統や価値観が教えられる。両親が子供の教育に無関心か、あるいは関心があっても時間的余裕がない今日と違い、新たな創造経済によって意に沿わない労働から解放された両親は、子供の教育に熱意をもって当たるだろう。

そこでの問題は、両親が熱意のあまり子供の権利を無視し、親の意向を押し付ける危険だ。そのために必要となるのが、義務化された幼稚園や保育園での第三者による幼児教育であり、各家庭を回る教育カウンセラーであり、児童相談所である。それは子供の自由と権利を守り、家庭以外の社会の存在を教え、行き過ぎた両親の価値の押し付けを防止するのだ。

一方、学校教育も大きく変わるだろう。永遠志向社会で求められる資質は、人々の幸せと人類のさらなる発展に貢献する意欲と能力である。今日の日本の学校では、いわゆる学力なるものが重視され、その結果いくつかの科目の平均で割り出される偏差値が低い生徒は、特殊な才能を持っていても劣等生として一生いわれのない劣等感を負わされる。しかし生徒の能力をいくつかの教科の平均値で測るのは、スポーツ選手に万能を求めるのと同じで、それでは卓越した才能は生まれない。あの大天才アインシュタインも、スイス連邦工科大学チューリッヒ校の入学試験では数学と物理以外は落第点を取りふるい落とされたが、彼の物理の才能を惜しんだ学長の特別の計らいで入学できたのだ。もし学長の介入がなかったら、人類にとって大きな損失になっていただろう。

永遠志向社会の教育では、学力以外の才能も含め、各生徒児童の得意な面を見出し、歴史に残る業績を上げる意欲と実力を育てる。そしてゆとりのある楽しい少年少女時代を過ごさせることで、豊かな人間性をはぐくむのだ。平均的な学力などを重視していては、創造的な人材も、歴史に貢献できる傑物も生まれない。各人がそれぞれ得意な才能を伸ばし、その総和によって社会が進歩するのだ。

◆創造力の養成

今や日進月歩のＩＴやＡＩが、人間に代わり大抵の思考と仕事を担う時代に入ろうとしている。そこで人間に求められるのは、これらが得意とする既存の知識の収集・習得ではなく、ＩＴとＡＩを使いこなす能力と、人間以外にはできない創造する力を身に付けることである。特に芸術教育と技術教育が重要になるだろう。役にも立たない既存の知識の詰め込みと不毛な受験勉強で、若者の知的・精神的自由を奪い、これからの時代が必要とする人材が育たないことは、本人にとっても社会にとっても、悲劇以外の何物でもない。

欧米では最近、これまでの科学、テクノロジー、工学、数学（Science, Technology, Engineering, Mathematics）を重視したいわゆるＳＴＥＭ（ステム）教育を反省し、それに芸術（Arts）を加えたＳＴＥＡＭ（スチーム）教育が唱えられている。これからは芸術に代表される創造性が重要になるのだ。先日、母校の開成高等学校の長寿会に出席し、校長から、最近の開成ではスポーツと音楽活動が盛んで、特にバンドが一〇〇以上結成され、文化祭では出場チームを決めるのに抽選を行っていると聞き、我が意を得た思いをした。

アメリカでは、小中レベルの公立校で、公募型研究開発校とも呼ばれるチャーター・スクールが、二〇〇一年の二〇〇〇校から、二〇一六年には七〇〇〇校に増加した（national Educational Statistic Center）。チャーター・スクールは、教育委員会の認可（チャーター）と財政的支援を受けて、ＩＴやＡＩ、芸術などに特化した教育を行っている。また普通校の授業についていけない生徒の受け入れを行うなど、多様な教育を展開している。チャーター・スクールは一般的に教育達成度が高く、今後さらに数が増えるとみられている。

日本のように全国一律の教育をしていては、特色のある多様な人材は生まれない。いわんや受験勉強や偏差値偏重教育などは、生徒の創造意欲を削ぎ、特殊な能力を何も持たない平凡な人物ばかりを生み出すだけである。このままでは、日本は時代遅れの教育がもとで、人材不足から亡国の道をたどりかねない。創造経済時代に向けて、徹底した教育改革が必要である。

日本財団「第二〇回十八歳意識調査」によると、調査対象の九カ国のうち、「自分は大人だと思う」「自分で国や社会を変えられると思う」「社会問題について、家族や友人など周りの人と積極的に議論している」との設問に対し、「はい」と答えたのは、日本はいずれも韓国の二分の一、その他の国の四分の一程度と極端に少なくなっている。また二〇一八年のスウェーデンの国会選挙での十八～二十四歳の投票率八四・九％に対して、二〇一九年の参議院選挙での二十歳の投票率は二六・三四％であった。このような無気力で幼稚な若者を生み出していることに、文部科学省をはじめ我が国の教育関係者は深く責任を感じるべきである。

◆日本の教育を歪める学力重視の大学入試

日本の教育を歪めている元凶が、平均的な学力を重視する大学の入学試験である。ほとんどの大学では、高校におけるいくつかの科目の得点の平均値から割り出した偏差値や、大学入試センター試験と大学ごとに行う学力試験の結果で、入学者を選抜している。それがよく言われる「学力偏重の一点刻みの入試」である。最近になって人物評価によって学生を選ぶＡＯ（Admissions Office）入試や、高校からの内申書を重視する推薦入学などの入学制度も部分的に取り入れられており、二〇二一年度からは新たな大学共通テストの導入が予定されているが、大学入試が学力重視であることは変わらない。それが小・中・高の教育を歪め、進学塾の蔓延を助長し、次の時代が求める人材の出現を妨げているのだ。

人の能力は多種多様であり、偏差値などで測れるものではない。次の時代が求めているのは、明確な目的意識を持ち、それを達成する意欲にあふれた若者である。日本の大学関係者は、学力偏重の大学入試という束縛によって、若者が精神的自由を奪われ、成熟した大人になるのを妨げられていることを自覚すべきである。偏差値が高い良い（？）大学に入って、つぶれそうもない（？）大きな会社に就職をするといった利己的な目的による勉強が、若者を政治・社会問題について無関心にし、自己中心的な人間を作り出すのだ。

私がかつて面談した、当時の大学入学試験委員会（ＣＥＥＢ）のハンフォード会長によると、アメリカのアイビーリーグなどの有名大学は、学生の選抜に当たってはクラブ活動やボランティア活動、スポーツなどの課外活動に参加しているか、あるいは政治・社会問題に関心を持っているかを重視しており、CEEBが策定・運営するSAT（大学進学適性試験）の成績には、一五％程度しか比重を置かないとのことだった。これらの大学は入学者の選抜に当たり、将来性と意欲を重視しており、勉強ばかりしている視野の狭い学生は、社会性と人間性に欠けるとして歓迎されないのだ。

◆全人評価によるハーバード大学の入試制度

そうした傾向の最たるものが、アメリカ随一のエリート校とされるハーバード大学の入試制度である。私は文部省在勤中に、主要日刊紙とNHKの教育担当論説委員からなる視察団の世話役兼通訳として、ハーバード大学を訪問した。その時面談した副学長に対し論説委員の一人が、「ハーバードはエリート校ですよね」という少々意地の悪い質問をした。それに対し副学長は「もちろんです」と答え、こう付け加えた。

「しかし我々はエリートだけを入学させるような安易な教育方針は取りません。本学は入学者の選抜に当たって、学力が低い者、貧しい家庭の子弟、黒人や移民などの少数者グループも積極的に入学させています。それは学生が社会の多様性を学ぶことで、エリート意識に凝り固まった者が生まれるのを防ぐためです。それを劣等生優先入学制度と呼ぶ人もいます。我々は卒業生全員が、各方面で社会をリードするエリートになるよう努力しており、それに成功していると考えます」

この話に感銘を受けた私は、一九七三年にB.J. Kahn Jrによる“Harvard: Through Change and Through Storm”の注釈付き和訳『ハーバード——生き残る大学』を、日本YMCA同盟出版部から出版した。その中でこの世界最高のエリート校は、SAT、ACT（米国大学入学能力テスト）などの大学入試共通試験の結果はあまり参考にせず、高校の内申書と各地に置いた主としてハーバード大学のOBからなる推薦人の意見、それに長時間にわたる面接による人物考査に基づき学生を選抜していることを紹介した。ハーバード大学が「幸福な底辺層」（happy bottoms）と呼ぶ恵まれない階層の出身者や学力の低い学生も、三分の一程度入学させている。それは学生の多様性を保つことで誤ったエリート意識が生まれるのを防ぐためでもあるが、それ以上にハーバード大学は、この「幸福な底辺層」から、個性に富んだ指導的人物が育つ可能性が極めて高いことを、建学以来四百年の経験から学んだのだ。日本でもこうした高い見識を持った大学が生まれることを期待したい。

そのアメリカでも、二〇一四年にアジア系の学生組織「公正な入学のための学生たち（SSFA）が、「学力を重視しないハーバード大学の入試制度は、一般に学力の高いアジア系学生に対する差別だ」として訴訟を起こした。ハーバード大学は学力試験は行わず、伝統である全人評価によって学生を選抜しており、高校で一番の成績を取り、全米共通大学入試で満点を取っても、入学できるとは限らない。大学にとって最も望ましいのは、「正真正銘の天才は別として、正直で、想像力に富んでおり、寛大で、規則正しく、心の強い若者」である（学生選抜担当者談。拙訳『ハーバード――生き残る大学』四四頁参照）。

二〇一九年十月に、マサチューセッツ連邦裁判所は、ハーバード大学がアジア系学生を差別したという原告側の主張は根拠がないとして、原告の主張を退けた。

日本の大学が今のまま複数の科目の平均で測る学力重視の入試制度を続ければ、中国で長く行われていた役人選抜のための科挙の制度が中国の近代化を妨げたように、日本の発展の足かせともなりかねない。関係者の反省を強く求めたい。

13　戦争と恒久平和

◆戦争はなぜ起こるのか

人類社会にとって、その存続を脅かす最悪のシナリオが戦争である。戦争とは広い意味では、対立した集団の間で致死性の武器を使って行われる争いを指す。このような人が殺し合うという現象を説明するのに、大きく分けると経済や政治などの外的要因が引き起こすという考え方と、人間の心に人を殺傷する動機が内在するという二つの説がある。前者としては、経済的利害関係や宗教的な対立、あるいは人口過剰等の外的要因が戦争の原因だとする。一方、前述した動物行動学者のコンラード・ローレンツなどは、すべての脊椎(せきつい)動物は攻撃的な本能を持っており、それが争いの原因だとする内的要因論を主張した。

この両論ともそれぞれ一理あり、殺人や戦争の原因の一部を説明していることは間違いない。しかし私は、経済的利害などの外的要因や、攻撃的な本能といった内的な衝動は、戦争の与件ではあっても、主たる原因ではないと考える。戦争は、死が不可避であることを知った人間が、その死への怒りを他人に転移し、憎むことで起きるのだ。それは心理学が「転移」(displacement)と呼ぶ、他の動物にはない人間独自の心理作用である。縄張り争い、異性の取り合い、群れの中での地位争い、えさの取り合いなど、仲間内での争いは、ほとんどすべての群棲の脊椎動物に見られる行動である。しかし同類を不倶戴天(ふぐたいてん)の敵として憎み、喜んで殺すのは、人間だけである。

一九六〇年代までは、一部の考古学者が、猿人や原人の食人説を唱えていた。しかし最近の研究では、初期の人類の間で食人や殺人という行為が一般的だったという証拠はないとされる。フランスの思想家ルソーも「原始的な人類ほど温和な者はない」と主張した。人類最初の殺人が疑われる例は、イラクのシャニダール洞窟に葬られた五万年前のネアンデルタール人が、槍で致命傷を負ったと見られることである。

それは、「第三章　3　宗教」で触れた、他のネアンデルタール人の墓から副葬品が見つかったことと一致する。それ以前の原始人はまだ自分の死すべき宿命を明確には認識していなかったのに対し、死んだ仲間を丁重に葬ったのは、それがいつかは自分にも訪れる宿命であることを知っていたためと思われる。そして自らの死を不可避なことを知ったネアンデルタール人は、その怒りを他の者に向け、殺すようになったという仮説が浮かび上がる。もし私の説が正しいなら、死の宿命から人を解放しない限り、いつかは死の必然に絶望した人が、その憎しみを他人に転移し、殺し傷つけることが必然的に起きるだろう。今日世界中の国家が、軍備の拡張に法外な予算を割いているのも、人間の心の底に潜むそうした破壊的な心理に突き動かされているからである。

これは極めて厳しい仮説である。自己の死を知らない他の動物と異なり、死の必然を知る人間の場合、人を殺す動機を持っているということである。それは、なぜイスラム原理主義者による残忍で無意味なテロが頻発するのか、前の二つの戦争をはじめ多くの戦争で、人々が喜び勇んで敵を殺しに戦場に向かったのか、そしてなぜ文明国で殺人事件がなくならないのかを説明している。

第二次大戦の後に先進国間で戦争が起きないのは、彼らが核兵器、生物兵器、化学兵器などの大量殺戮(さつりく)兵器を所有しており、万一戦争となれば相互に大きな犠牲者を出し、さらには人類絶滅の危機を引き起こす可能性があるからに過ぎない。それが恐怖の均衡である。その一方で大量殺戮兵器を持たない国の間では、現在でも戦争や紛争が絶え間なく起きているのだ。

◆頻発する戦争

歴史が記録され始めて以来、人類は絶え間なく憎み合い、殺し合ってきた。ある研究では、三千四百年前から今日までの間で、世界で戦争がなかった年はわずか二百六十八年だとされている。そしてその原因は、自らが死なねばならない運命への怒りを他人にぶつけることにあったのだ。

そして戦争やテロは今日でも、世界各地で起きている。そうした戦争やテロが起きるのは、多くの人が信じているような貧しさや孤独、そして失業といった不幸な環境だけのせいではない。普段はまじめで心優しい人も、豊かで教育程度が高く幸せに見える人でも、きっかけさえあれば戦争やテロに加わるのだ。それが人間の心の底に潜む死への憎しみの他人への転移である。戦争では死への憎しみの転移で始まった争いが、自国民を殺す敵への憎しみに変わり、限度のない報復が繰り返される。

戦後先進国においては、人々は資本主義がもたらす富の獲得と消費の興奮に逃避を求め、何とか死の恐怖を思い出さずにきた。その間に朝鮮戦争やベトナム戦争、湾岸戦争などはあったものの、多くの国は平和を享受してきた。しかし第一章で見てきたように、環境の悪化や資源の枯渇から不断の経済成長が不可能となれば、逃避の道を塞がれた人々が、死の宿命を思い出し、自暴自棄になる可能性が増すだろう。

今日核兵器をはじめとする大量殺戮兵器が世界中に拡散しており、万一全面的な戦争が始まれば、人類が絶滅することすらあり得るのだ。しかも死の絶望がそうした兵器を管理する権力者たちに影響を与え、相手に対する憎しみが募り、死なば諸共といった非常識な行動をとらないという保証はない。そうなれば我々が地球上を徘徊（はいかい）する最後の世代になりかねない。

◆永遠志向社会の構築こそ恒久平和への道

創造経済と永遠志向社会の構築によって人々が死を克服すれば、戦争やテロの可能性は大幅に減るだろう。なぜなら死を超越した人々は、他人を憎む要因がなくなるからだ。また創造経済の新たな六本柱によって、戦争の要因の一つである貧困や格差も解消するのだ。そして平和さえ維持できれば、永遠志向社会が確立され、何時の日にか人類共通の歴史が構築され、地球上のすべての人が同胞であり、未来永劫に続く人類の歴史の輪の一つを形成していることが自覚されるだろう。そうなれば偏狭な民族主義を超えた人類愛が生まれ、恒久平和が達成される。それを単なる理想論だとして笑う人もいるかもしれない。しかし私は、死を超越しさえすれば、恒久平和の夢は必ず叶うと確信している。

戦争という問題の一端は、男性が政治を支配していることにあるのではなかろうか。一般的にいって、動物の雄は雌よりも攻撃的である。人間の場合も、男性は歴史の中での絶え間ない争いの過程で淘汰され、攻撃的になったのだ。それに比べ女性は、より平和的である。特に腹を痛めて子供を産んだ母親は文字通り子供と一体であり、子供を通じて死を超越するのに対し、父親と子供の関係は希薄であり、そのことが男性の死に対する絶望感を引き起こし、その怒りを他人に転移し、戦争を起こすのだ。

戦争やテロを始めるのは、ほとんどの場合男性である。このことから、もし女性がもっと積極的に政治に関与すれば、戦争やテロの脅威は少なくなると思われる。世界のどこに、愛する人や子供を戦場に行かせたいと思う女性がいるだろうか。永遠志向社会が確立され、恒久平和が実現するまでは、当面女性に政治の主導権をゆだねてみる価値はあるのではなかろうか。アメリカのピュー研究所によれば、今日世界で女性の大統領や首相は一六人に上るとのことだが、今後その数がもっと増えることを期待したい。

第四章

来るべき人類の黄金期

――永遠の達成とともに、人類は大いなる将来に目覚め、ここに希望に満ちた高邁な人類の黄金期が始まる。

1　限りない理想を求めて

◆思い切った推測だけが我々を前に進めてくれる

本書では、現行の資本主義経済を新たな創造経済に転換し、それと並行して死を超越する永遠志向社会を構築することで、理想の社会の実現の可能性があることを見てきた。ここで留意しなければならないのは、これまでの本書での考察もそこから引き出した結論も、人類社会がそうなるとした予言ではなく、一つの蓋然（がいぜん）性を推測したものである、ということだ。予言と推測の違いは、前者は実証なしに人知では計り知れない事柄を言明するのに対し、推測は知りうる範囲内で集めた証拠をもとに、未来の可能性を推定することである。

人類社会の在り方は、環境などの予測不可能な要件に影響され、人々の努力や意思、そして技術の進歩の度合い等によっても大きく変化する。従って予言だけでなく推測も、当たるも八卦（はっけ）、当たらぬも八卦という面があるのが本当のところかもしれない。たとえば百年前に、人類が飛行機で大西洋を横断し、電波で送られる映像を楽しみ、ＳＮＳで意見の交換をし、ＥＵのような超国家連合体ができ、平均寿命が八十歳を超えると言えば、物笑いの種になっただろう。

しかしここで論じているのは、人間の本質であり、それが必然的に生み出す未来の姿である。そして人の行為がすべて、生存志向、優位志向そして永遠志向という根本的な内的な衝動によって律されているということは、将来も変わることのない絶対的な事実である。従ってこれらの決定的な与件を理解することで、人間の生き方について一定の方向性を見出すことは可能であり、それに基づき、社会がどう変化するかをかなりの確実性をもって想定することもできるのだ。

アインシュタインは、「事実の収集ではなく、思い切った推測だけが我々を前に進めてくれる」（Only daring speculation can lead us further, and not accumulation of facts.）と言ったが、それが本書で試みた推測である。変化が緩慢であった時代には、人は変化に対応してそれに適応してきた。しかし我々が今日直面している急激な変化に対応するには、変化を待つのではなく、それを予測し、事前に必要な措置を講じておく必要があるのだ。

◆推測１　永遠志向社会の構築

本書がそうした推測であることを前提にして、永遠志向に目覚め、創造経済に生きる人々が構築する社会がどのようなものになるかを、改めてまとめてみよう。進化の第一段階における生物の基本的な衝動は生存志向であり、それが群棲の生物に見られる優位志向という第二段階を経て、人間だけが持つ死後も自己を残したいとする永遠志向という最終的な第三段階に達する。それは自然ではなく、人間自らが作り出した本能である。

人類のここ数万年の歴史は、この永遠志向に適応する過程であり、その過程は今日でも続いている。それが宗教を生み出し、文明を築いたのだ。今日の社会を支配する資本主義経済もまた、人々が金儲けと消費によって死を忘却するために作られたものであり、永遠志向が生んだものである。そして新たなミレニアムに入り、人々は暗中模索の段階を抜け、永遠志向を満たす具体策を練る時が来たのだ。今現在しか眼中にない刹那(せつな)的な現代人に代わって、人類の永劫の未来を考える人々からなる永遠志向社会が生まれるのだ。

◆推測2　死の超越が人を気高くする

このような意識を持つ人は、自らも死後も残る歴史の一部となって永続することを望むとともに、自分自身の延長である人類の永続と繁栄を願い、その実現のために全力を尽くす。死を超越しさえすれば、人は高貴で気高く慈悲深い現人神(あらひとがみ)になるのだ。歴史の上での存在を求めてのあがきなどは死者の糧(かて)であり、そうした意識を持たない者から見ればあさましいものである。だがいったん自分が望むことが永遠の獲得にあることを知った者は、そのあさましさにもかかわらず、歴史に自己の足跡を残したいと願う。

それは食欲や性欲、権力欲と同様に、それからは逃れられない欲求なのだ。そしてこの自己の足跡を「時」という砂の上に残すという一見無益な行為が、すべての思慮深い人々の最大の関心事となり、人をして狭い損得勘定を超えた崇高な行動をとらせる。

◆推測3　歴史国家の成立

では社会は永遠志向によってどのように変わるのだろうか。社会を構成する最も基本的な組織である家族は、本能が生み出す肉親への愛情や絆を超え、家族の歴史を紡ぐ永遠志向社会の基本的な単位へと進化する。国家を頂点とした政治機構の最も重要な機能は、集団の秩序を守り構成員の利便を図ることから、歴史の保持へと昇華する。利潤を追い求める企業も、従業員に創造の場を与えることで、歴史的な役割を果たすようになる。経済もまた活動の目的を、金儲けから創造と人々の幸せの実現に転換する。

そうした永遠志向社会は、すでに各所で始まっている。スポーツ競技の記録はすべて保存され、優れた芸術作品は美術館に保管され、学術論文はインターネットや学会誌に記録され、各分野の歴史を構成する。過去の創造の産物は、国宝あるいは重要文化財として永久保存される。これらはすべて永遠志向が作り出したものである。永遠志向に目覚めたジャーナリストは一度報道すれば二度と使われないニュースには飽き足らず、今形成されつつある歴史の記録に情熱を傾けるだろう。

歴史の保持者としての国家の役割も重要性を増すだろう。歴史は公平に記録され、永久に保存されない限りその意味を失う。フランスの哲学者ヴォルテールが、フレデリック大王に宛てた一七八三年五月二十七日付の手紙で「真の歴史は自由な国においてのみ書くことができます」と言ったように、本当の歴史は自由で民主的な社会でしか生まれない。もしそうでなければ、フランスの作家モーパッサンが『水の上』の中で嘆いたように、「歴史――あの思い上った嘘つきの年寄り女め」ということになる。

◆推測4　歴史民主主義の確立

永遠志向社会における歴史は、モーパッサンが嘆いたような不真面目なものとは違い、公平な第三者の審査をもとに、歴史について強い信念を持った歴史家と徹底的に訓練されたアーキビスト（司書）により、AIを含む最新技術を駆使して描かれた公平かつ正確な記録になる。

歴史が権力によって捻じ曲げられないために、歴史の正義と自由はあらゆる犠牲を払ってでも守られる。ここに歴史民主主義の確立が絶対に必要となる。正しい歴史が保持されるなら、人々はあらゆる不正を見逃さず、信念を貫き、偉大な業績を上げ、歴史の上での名誉ある場を獲得するのだ。国は歴史の殿堂ともいうべき大規模な歴史記録の保存施設を整備する。また歴史保存機能を持つ他の組織と協力し、歴史を絶えず再調査して記録の正確さを担保する、厳正中立の歴史の審判制度を構築する。こうして歴史の公正さが確立すれば、人々は歴史の正義を信じて、その審判に耐える業績を上げようと切磋琢磨する。

◆推測5　全開する創造活動

創造ほど具体的で創造者との関連が明確なものはない。そのため自己の永遠化を望む人は、競って創造に励むだろう。科学者の研究成果、芸術家や職人の作品、企業家にとっての新事業や組織、両親にとっての子供などはすべて創造の産物であり、代替的自己である。

今までやり甲斐がないと思われていた仕事も、心の持ち方によっては歴史に残る功績となる。たとえば清掃事業でも、担当者がそれが持つ衛生上の重要性を認識し、業務の改善に努め、社会がその功績を認めればそれは創造となり、歴史に残る。商業活動も、優れた商品の制作や提供という観点から見れば、社会にとって不可欠な業務であり、歴史に残る功績になりうる。ベーシック・インカム制度によって意に沿わない労働から解放された人々の多くは、創造活動やボランティア活動などに参加することで歴史に足跡を残そうと努力する。

また個性を持ち丁寧に作られた長持ちする商品は、消費財ではなく創造物に昇華し、その生産過程は労働ではなく創造活動となる。こうして万人が創造を通じて自己の永遠化を図り、その過程において人類社会は限りなく豊かになる。

2　大いなる未来へ

◆不道徳な宴の終わり

人類は今、二世紀以上続いた資本主義経済のもとで、経済の行き詰まり、温暖化、環境破壊、資源の枯渇、相対的貧困の拡大、人口過剰とそれがもたらす食料難、そして拝金思想が生む道徳的退廃といった、人類の存続に関わる多くの問題に直面している。

大半の人はそれでも反省をせず、現実を忘れるためにさらに金儲けにのめり込み、消費を拡大し、快楽に溺れ、テクノロジーが問題をすべて解決してくれるという迷信に浸り、現実を直視しようとせず、ちっぽけな自己満足とみみっちい利得を求めて生涯を無駄にする。そして政府は、国民に幸せをもたらすという義務を忘れ、大企業を優遇し、相も変わらず「経済成長」などといった夢物語で、人々の不安を紛らわそうとしている。

一方、多くの人々は、自分たちの金儲けや不必要な贅沢が、未来の世代を犠牲にすることで成り立っていることなど、気にもかけない。

こうして人類は、その利己主義と近視眼的な思考のために、破滅への一本道を転がり落ちようとしている。このままでは現代人は、史上最悪の罪人（つみびと）となり、歴史の場で弾劾（だんがい）されるだけでなく、もし神罰なるものがあるなら、当然にそれを受けることになるだろう。そうした状況を打開して、自分たちの罪を贖（あがな）い、人類の未来を明るいものにするには、我々は今直ちに欲ボケから覚め、利己主義を捨て、未来の人類に負の遺産を残さないよう奮励努力しなければならない。我々現代に生きる者が現実に目覚め、自分たちが作り出した問題に真摯（しんし）に向き合わない限り、人類の未来は暗いのだ。今や不道徳な宴（うたげ）は終わり、厳しい現実に直面する時が来たのだ。

現状に満足した人にも、現実からの逃避に明け暮れる人にも、やがては忍び寄る死の足音が聞こえる時が来る。その時永遠への足掛かりを作っておかなかった者は絶望し、その精神は崩壊する。現代人は単に罪深いだけでなく、信心がもたらす心の安らぎも失い、死の前におののくみじめな存在なのだ。不幸なる者、それが現代人である。

それでもそうした混迷を乗り越え、人々を幸せにし、より建設的で高邁な社会を作り出す可能性は残っている。それは創造経済によって生き甲斐を取り戻し、すべての人が持つ死を超越したいという願いに永遠志向社会の構築で応え、未来の人類社会に貢献することで可能となる。また歴史民主主義によって、今の他律的な運命に流される大衆は、歴史の流れを自ら変える自律的な超人に生まれ変わる。そしてこれまでの自堕落で無意味な生き方を変えることで、人類の黄金時代を築くのだ。

◆人類よ永遠なれ

人類の未来を悲観的に見る者も多い。哲学者バートランド・ラッセルは、やがて来る太陽系の膨大な死の中で、人類文明が消滅することを否定する哲学は成立しえないとした。その悲観論に対して私は、前三作の末尾に引用した次の言葉を、本書の締めとしてあえてまた繰り返したい。

「わずか一万年の間に原始を抜け出て今日の文明を築いた人類なら、永遠志向に目覚め歴史を通じて過去未来との連続を自覚しさえすれば、何十世代の英知と努力の積み重ねで必ず目くめくような理想の社会をつくり上げるだろう。そこでは、ラッセルが墓より先には保つことが出来ないとした〝情熱も、ヒロイズムも、思想や感情の強烈さ〟も、人類の歴史に組み込まれ永遠を得る。また〝太陽系の膨大な死の中で消滅する〟と断定した、〝すべての時代のあらゆる努力、あらゆる献身、あらゆる天才の昼光のような輝き〟も、遠い未来の世代が科学とテクノロジーの粋を駆使して銀河系の彼方に新たな文明を構築することで、存続するのだ。だからこそ今死にゆく我々は人類の悠久の存続を確信して、最後の息をひきとるまで次の世代に尽くすのだ。それによって我々もまた、人類文明の礎(いしずえ)として永久に存続するのだ」

この威厳に満ちた永遠志向社会を、欲と悪徳にまみれた現代社会と比べてみるがいい。今日の資本主義社会は、私欲に溺れた救いがたい小人の世界である。しかし永遠志向の自覚とともに人類は大いなる未来に目覚め、世界はより建設的な時代を迎える。その栄光を生むのが死への絶望という卑俗(ひぞく)な感情であることは皮肉である。だがどのように神々(こうごう)しい巨木も、ただの腐葉土を養分として育つのだ。同様に我々も、人間の卑俗さを糧として、偉大さを獲得しようではないか。

特に私は、次代を担う若者に訴えたい。今こそ君たちが立ち上がって、欲に目がくらみ母なる地球を破壊しようとしている前の世代が犯した罪を贖うとともに、創造経済と永遠志向社会を構築することで、数百年の時を経た後にも、君らの時代こそが人類を混沌から救い、理想の人類社会の基礎を作った人類史上最も輝かしい瞬間だったと言わしめようではないか。そして高らかに謳歌しよう。死よ奢(おご)るなかれ。人類よ永遠なれと。

あとがき

私がジョージタウン大学大学院国際関係学科に留学し政治学を学ぶ中で、現代の民主主義思想があまりにも現状と乖離(かいり)していることに疑問を感じ、自ら人類の本来あるべき姿を明らかにしようと決意してから、早や半世紀以上が過ぎ去った。

その間、ユネスコ職員としてパリとニューヨークで働く中、哲学書を濫読(らんどく)し英語で原稿を書き始めた日々、そして日本に戻り文部省と文化庁での激務の中で、夜半過ぎまでワープロを打ち続けた日々を、私の探究を我がことのように真剣に手助けしてくれた今は亡き妻まゆみの面影とともに、懐かしく思い出している。考えれば長い年月が経ったものである。

そして『永遠志向』『死の超越』、その英語版"Transcending Death"、ポピュラー版『創造経済と究極の幸せ』と書き進め、今このテーマについての最後の著作になるかもしれない本書を書き終わり、深い感慨にふけっている。

実のところ私は、一九八二年に『永遠志向』を出版した当時、自説が広く受け入れられるのは、早くても私の没後となる二十一世紀半ばだと考えていた。しかし世界中で政治、経済、社会のあらゆる面での行き詰まりが表面化し、環境破壊と資源の枯渇が現実のものとなりつつあることから、今では当初の見込みよりはかなり早く、「創造経済」と「永遠志向社会」への転換の必要性が広く認識される可能性が高まっていると確信するに至っている。現実の世界が私の考えに追いついたのだ。

もちろん、私は本書で提示した理想の世界が、今すぐ実現するとは思っていない。それには次の世代の並々ならぬ勇気と努力が必要となる。しかし資本主義経済の矛盾、特にそれが引き起こす環境破壊、資源の枯渇、道徳的退廃そして人口増加などの問題を、ただ手をこまぬいていれば、人類が存亡の危機に立つことは間違いない。

世界をそのような苦境に追い込んだ世代の一人として後世にお詫びするとともに、せめてもの罪滅ぼしに、本書がそうした混乱から抜け出す手掛かりの一つになればと願っている。そして私の思想が、次の世代の方々に勇気と希望を与えるのではないかとも期待している。

私の考えは、現在の世界の在り方に対しては厳し過ぎ、未来の姿については楽観的過ぎるかもしれない。

それでも私は、創造経済と永遠志向社会の構築によって、人類が死を超越し、歴史を通じて世代を超えた連携を確立し、永劫の繁栄を達成することを堅く信じている。

最後になったが、本書の出版にあたり、株式会社ＰＨＰエディターズ・グループの池谷秀一郎氏をはじめ、同社のスタッフの皆様のご尽力に感謝したい。
次の時代を担う方々の健闘を祈りつつ、ここに筆を擱くものである。

二〇二〇年三月

渡辺通弘

なお、本書は、“Collapse and Resurrection of Capitalism”のタイトルで、英語での出版を計画しており、近々執筆を開始する予定であることを付記しておく。

〈著者略歴〉

渡辺通弘（わたなべ　みちひろ）

東京都出身。開成中学校、同高等学校を経て中央大学法学部卒。外務省に入省後、パリ・ユネスコ本部、同ニューヨーク国連連絡事務所勤務。文部省（現・文部科学省）入省後、総理府青少年対策本部参事官、文化庁芸術課長、文化普及課長、総務課長、文化部長を歴任。UCLA（カリフォルニア大学ロサンゼルス校）アンダーソン経営学大学院客員教授。昭和音楽大学音楽芸術運営学科初代学科長。現在、同大学名誉教授。日本アートマネジメント学会顧問。ベルマーク教育助成財団理事。

〈主要著書〉

哲学3部作、『永遠志向』（創世記、1982年）、『死の超越』（丸善プラネット、2017年）、“Transcending Death”（同英語版、Kindle、2018年）、『創造経済と究極の幸せ』（悠光堂、2019年）。『美しい国日本へ――安倍総理の「美しい国へ」に対比して』（悠光堂、2016年）、『鴛鴦の思い羽（上下）』（悠光堂、2019年）。“Cultural Policies in Japan”（UNESCO Word Culture Report: p173-174）、“Comparing Cultural Policy”（ALTAMIRA Press、共著）。

〈訳書〉

『ハーバード――生き残る大学』（E. J. カーン著・渡辺通弘訳、日本YMCA同盟出版部、1984年）。

資本主義の崩壊と再生

2020年3月31日　第1版第1刷発行

著　者　渡辺通弘

発　行　株式会社ＰＨＰエディターズ・グループ
〒135-0061　東京都江東区豊洲5-6-52
☎03-6204-2931
http://www.peg.co.jp/

印　刷
製　本　シナノ印刷株式会社

ISBN978-4-909417-49-7